Hippie

Du même auteur

L'Alchimiste, Éditions Anne Carrière, 1994.
Sur le bord de la rivière Piedra je me suis assise et j'ai pleuré, Éditions Anne Carrière, 1995.
Le Pèlerin de Compostelle, Éditions Anne Carrière, 1996.
La Cinquième Montagne, Éditions Anne Carrière, 1998.
Manuel du guerrier de la lumière, Éditions Anne Carrière, 1998.
Conversations avec Paulo Coelho, Éditions Anne Carrière, 1999.
Le Démon et mademoiselle Prym, Éditions Anne Carrière, 2001.
Onze minutes, Éditions Anne Carrière, 2003.
Maktub, Éditions Anne Carrière, 2004.
Le Zahir, Flammarion, 2005.
Comme le fleuve qui coule : récits 1998-2005, Flammarion, 2006.
Veronika décide de mourir, Flammarion, 2007.
La Sorcière de Portobello, Flammarion, 2007.
La Solitude du vainqueur, Flammarion, 2009.
Brida, Flammarion, 2010.
Aleph, Flammarion, 2011.
Le Manuscrit retrouvé, Flammarion, 2013.
Amour : citations choisies, Flammarion, 2013.
Adultère, Flammarion, 2014.
L'Espionne, Flammarion, 2016.
L'Alchimiste, Flammarion, 2017 (nouvelle édition illustrée).

Paulo Coelho

Hippie

Traduit du portugais (Brésil) par Élodie Dupau
et Cécile Lombard

Flammarion

Titre original : *Hippie*
Éditeur original : Paralela, une division
des éditions Schwarcz S.A.
Édition publiée en accord avec Sant Jordi Asociados,
Barcelone, Espagne.
www.santjordi-asociados.com
© Paulo Coelho, 2018. Tous droits réservés.
http://paulocoelhoblog.com
Pour la traduction française :
© Flammarion, 2018.
978-2-0814-4242-9

"Ô Marie conçue sans péché, priez pour nous qui avons recours à Vous." Amen.

On le lui fit savoir : « Ta mère et tes frères sont là dehors, qui veulent te voir. »

Il leur répondit : « Ma mère et mes frères sont ceux qui écoutent la parole de Dieu et la mettent en pratique. »

Luc 8, 20 : 21

Je croyais que mon voyage touchait à sa fin, ayant atteint l'extrême limite de mon pouvoir, que le sentier devant moi s'arrêtait, que mes provisions étaient épuisées et que le temps était venu de prendre retraite dans une silencieuse obscurité.

Mais je découvre que ta volonté ne connaît pas de fin en moi. Et quand les vieilles paroles expirent sur la langue, de nouvelles mélodies jaillissent du cœur ; et là où les vieilles pistes sont perdues, une nouvelle contrée se découvre avec ses merveilles.

Rabindranath Tagore
in *L'Offrande lyrique*,
traduction d'André Gide, Gallimard

À Kabîr, Rûmî, Tagore, Paul de Tarse, Hafez,
Qui m'accompagnent depuis que je les ai découverts,
Qui ont écrit une partie de ma vie
Que je raconte dans ce livre — très souvent
avec leurs mots.

Les histoires qui suivent proviennent de mon expérience personnelle. J'ai condensé quelques passages et parfois modifié l'ordre des événements, les noms des personnes ou certains détails, mais tout est vrai. J'ai privilégié l'emploi de la troisième personne du singulier pour donner leur place à tous les personnages et mieux les décrire dans leurs vies respectives.

En septembre 1970, deux places se disputaient le privilège d'être considérées comme le centre du monde : celle de Piccadilly Circus, à Londres, et celle du Dam, à Amsterdam. Mais tout le monde ne le savait pas : la plupart des gens, si on leur avait posé la question, auraient répondu : « La Maison Blanche, aux États-Unis, et le Kremlin, en URSS. » Parce que ces gens tiraient leurs informations des journaux, de la télévision, de la radio – des moyens de communication déjà complètement dépassés, qui ne retrouveraient jamais la pertinence de leurs débuts.

En septembre 1970, les billets d'avion étaient hors de prix, et seule une élite pouvait se permettre de voyager. Bon, pas tout à fait. Une multitude de jeunes aussi, dont les vieux médias ne retenaient que l'apparence : ils avaient les cheveux longs, des vêtements bariolés, ne se lavaient pas – ce qui était faux, mais les plus jeunes ne lisaient pas les journaux, et les adultes croyaient en n'importe quelle nouvelle à même d'insulter ceux qu'on considérait comme une « menace pour la société et les bonnes mœurs ». Et

17

avec leurs mauvais exemples de libertinage et d'« amour libre », comme on le disait avec mépris, ils représentaient un risque pour toute une génération studieuse et désireuse de réussir dans la vie. Eh bien cette multitude de jeunes chaque jour plus nombreuse se faisait passer des informations par un système que personne, absolument personne, n'arrivait à détecter.

Mais attention, le « Courrier Invisible » se souciait peu de discourir sur la dernière Volkswagen sortie ou sur les lessives en poudre à la mode dans le monde entier. Les nouvelles qu'il véhiculait se résumaient à la prochaine grande route qu'allaient parcourir ces jeunes insolents, sales, qui pratiquaient l'« amour libre » et s'habillaient d'une façon choquante pour les gens de bon goût. Les filles couvraient de fleurs leurs cheveux tressés et portaient des jupes longues, des blouses colorées sans soutien-gorge, des colliers aux perles et aux couleurs les plus diverses ; les garçons avaient la barbe et les cheveux longs, des jeans délavés usés jusqu'à la corde, car les jeans étaient chers partout dans le monde, sauf aux États-Unis – où ils avaient quitté les ghettos ouvriers pour se répandre dans les gigantesques concerts de San Francisco et ses alentours.

Si le « Courrier Invisible » existait, c'était parce que ces jeunes étaient toujours fourrés dans les concerts, à échanger sur les lieux où il fallait aller et sur les façons de découvrir le monde sans devoir monter dans un car de tourisme, où un guide décrivait les paysages pendant que les plus jeunes s'ennuyaient et que les plus vieux s'endormaient. Et ainsi, par le bouche-à-oreille, ils savaient tous où se tiendrait le prochain concert ou quelle serait la prochaine grande route à parcourir. L'argent n'était une limite pour personne, parce que l'auteur préféré de cette communauté n'était ni Platon ni Aristote, ni les bandes dessinées des rares dessinateurs à avoir accédé au statut de célébrité. Non, le livre qui accompagnait presque chacun sur le Vieux Continent s'intitulait *L'Europe à cinq dollars par jour* d'Arthur Frommer. On pouvait y trouver où se loger, où manger, ce qu'il y avait à voir, où se retrouver et où écouter de la musique *live* sans presque rien dépenser.

La seule erreur de Frommer était d'avoir limité son guide à l'Europe. N'y avait-il pas d'autres endroits intéressants ? Les gens n'étaient-ils pas plus enclins à aller en Inde qu'à Paris ? Frommer allait combler cette lacune quelques années plus tard. En attendant, c'était le « Courrier Invisible » qui se chargeait de promouvoir un parcours à travers l'Amérique du Sud jusqu'à l'ancienne cité perdue de Machu Picchu. Tout en recommandant de ne pas trop en parler aux non-initiés, sous peine de voir le lieu rapidement envahi par des barbares munis d'appareils photo et par des guides débitant d'interminables discours (vite oubliés), qui expliquaient comment un groupe d'Indiens avait créé une cité cachée, indétectable hormis du ciel – ce qu'ils pensaient impossible, puisque les hommes ne volaient pas.

Soyons précis : il existait en fait un second grand best-seller, pas aussi populaire que le livre de Frommer, mais que dévoraient tous ceux qui avaient déjà eu leur période socialiste, marxiste, anarchiste – des périodes débouchant toujours sur une profonde désillusion de ces courants inventés par des individus qui proclamaient : « La prise de pouvoir des travailleurs du monde entier est inévitable », ou : « La religion est l'opium du peuple », une phrase absurde prouvant que son auteur ne comprenait rien au peuple et encore moins à l'opium. Parce que ces jeunes mal habillés, entre autres choses, croyaient en Dieu, aux dieux, aux déesses, aux anges et aux choses de ce genre. Le seul problème était que ce livre-là, *Le Matin des magiciens*, écrit par le Français Louis Pauwels et le Russe Jacques Bergier – scientifique de renom, ancien espion, chercheur infatigable en occultisme –, disait exactement le contraire des ouvrages politiques : le monde comportait des mystères passionnants, des alchimistes, des mages, des Cathares, des Templiers. Le contenu de cet ouvrage et les énigmes qu'il mentionnait l'empêchaient de devenir un grand succès de librairie, d'autant qu'un seul exemplaire était lu par au moins dix personnes d'affilée, vu son coût exorbitant. Enfin, comme il parlait aussi de Machu Picchu, tout le monde voulait aller au Pérou. D'ailleurs, des jeunes du monde entier s'y retrouvaient (bon, n'exagérons rien, ceux qui vivaient en URSS ne pouvaient pas sortir si facilement de leur pays).

*

Mais revenons à nos moutons : des jeunes du monde entier, qui avaient au moins pu obtenir ce bien inestimable appelé « passeport », se rencontraient sur les fameuses « routes hippies ». Personne ne savait exactement ce que le mot *hippie* signifiait, et ça n'avait aucune forme d'importance. Peut-être « grande tribu sans chef » ou « marginaux pacifiques », ou encore toutes les descriptions faites en ouverture de ce chapitre.

Les passeports, ces petits carnets fournis par le gouvernement et soigneusement gardés, avec plus ou moins d'argent (peu importait) dans une pochette accrochée par un élastique à la ceinture, avaient deux finalités. La première, comme nous le savons tous, était de permettre le passage des frontières, du moment que les douaniers ne se laissaient pas embobiner par les journaux et ne refoulaient pas le porteur à cause de ces vêtements, ces cheveux, ces fleurs, ces colliers, ces perles et ces sourires qui semblaient dus à un état d'extase constant – communément, mais injustement, attribué aux drogues démoniaques que ces hurluberlus consommaient, selon la presse, en quantités exponentielles.

La seconde fonction du passeport était de venir au secours de son détenteur en cas de situations extrêmes, quand il n'avait plus un sou et personne à qui demander de l'aide. Le fameux « Courrier Invisible » était toujours là pour indiquer les lieux où le petit carnet pouvait être vendu. Le prix variait selon le pays : un passeport de Suède, où tout le monde était grand et blond aux yeux clairs, ne coûtait pas bien cher : il ne pouvait être revendu qu'à des grands blonds aux yeux clairs, qui en général n'étaient pas légion. Mais un passeport brésilien valait une fortune au marché noir – puisque au Brésil, en plus de grands et blonds aux yeux clairs, il y avait aussi des Noirs de toute taille aux yeux marron, des Asiatiques aux yeux bridés, des Métis, des Indiens, des Arabes, des Juifs… Bref, cet immense bouillon de culture expliquait que ce document d'identité soit l'un des plus convoités de la planète.

Une fois le passeport vendu, son propriétaire initial se rendait au consulat de son pays et, feignant la terreur et l'abattement, racontait qu'on l'avait agressé et qu'on lui avait tout volé : il se retrouvait sans argent et sans papiers. Les consulats des pays les plus riches offraient alors un passeport et un billet de retour gratuit, billet que le plaignant refusait aussitôt sous prétexte que « quelqu'un me doit pas mal d'argent, je dois le récupérer avant ». Quant à ceux des pays pauvres, en général soumis à des gouvernements plus sévères, aux mains des militaires, ils menaient une véritable enquête pour savoir si le demandeur ne figurait pas sur la liste des « terroristes » recherchés pour subversion. Après avoir constaté que la jeune femme ou le jeune homme avait un casier judiciaire vierge, ils étaient obligés, bien malgré eux, de lui fournir le sésame. En revanche, ces consulats n'offraient aucun billet de retour, ne voyant pas l'intérêt de renvoyer dans leur propre pays ces aberrations vivantes qui risquaient d'influencer toute une génération éduquée dans le respect de Dieu, de la famille et de la propriété.

*

Pour en revenir aux destinations : après Machu Picchu, ce fut le tour de Tiahuanaco, en Bolivie. Puis de Lhassa, au Tibet, où il était très difficile d'entrer, toujours selon le « Courrier Invisible », à cause d'une révolte des moines contre les gardes rouges chinois. L'existence de ces heurts paraissait peu probable, néanmoins personne n'allait risquer un si long voyage pour se retrouver prisonnier d'un camp ou d'un autre. Mais les philosophes de l'époque, les Beatles, qui s'étaient justement séparés en avril de cette année-là, avaient annoncé peu avant que la grande sagesse de la planète se trouvait en Inde. Il n'en fallut pas plus pour attirer là-bas des jeunes du monde entier, en quête de sagesse, connaissance, gourous, vœux de pauvreté, illumination, rencontre avec *My Sweet Lord.*

Le « Courrier Invisible », toutefois, annonça que le grand gourou des Beatles, Maharishi Mahesh Yogi, avait fait des avances à Mia Farrow, une actrice qui avait connu des déceptions amoureuses. Elle s'était rendue en Inde sur l'invitation du groupe, peut-être pour se guérir des traumatismes liés à ces histoires qui semblaient la poursuivre comme un mauvais karma.

Mais tout indiquait que le karma de Mia Farrow avait lui aussi voyagé jusqu'à cet endroit, avec John, Paul, George et Ringo. D'après ses dires, elle était en train de méditer dans la grotte du grand gourou quand il l'avait attrapée et avait voulu la forcer à coucher avec lui. À cette époque, Ringo était déjà rentré en Angleterre, sa femme détestant la nourriture indienne, et Paul aussi avait quitté les lieux, convaincu que cela ne le mènerait nulle part.

Seuls George et John étaient encore au temple de Maharishi quand Mia les rejoignit, en larmes, et leur raconta sa mésaventure. Ils firent leurs valises sur-le-champ et quand l'Illuminé vint leur demander ce qui se passait, Lennon lui répondit sèchement :

« Si tu es si illuminé que ça, tu le sais très bien, abruti ! »

*

Mais en septembre 1970, les femmes dominaient le monde – ou plus exactement, les jeunes femmes hippies dominaient le monde. Les hommes leur mangeaient dans la main et savaient très bien que ce n'était pas la mode qui les séduisait – elles étaient bien meilleures qu'eux en la matière –, alors ils prirent le parti d'accepter une fois pour toutes qu'ils dépendaient d'elles et adoptèrent un air d'abandon et de supplique implicite : « Protège-moi, je suis seul et je n'arrive à rencontrer personne, je crois que le monde m'a oublié et que l'amour m'a quitté pour toujours. » Elles choisissaient leurs mâles sans penser une seule seconde au mariage, juste à passer un bon moment grâce à une partie de jambes en l'air intense et créative. Et elles avaient toujours le dernier mot, aussi bien pour des sujets importants que pour des choses accessoires et superficielles. Alors quand le

« Courrier Invisible » répandit la nouvelle de l'agression sexuelle qu'avait subie Mia Farrow et de la phrase lancée par Lennon, tout le monde changea aussitôt de destination.

Une autre route hippie fut créée : Amsterdam (Pays-Bas) – Katmandou (Népal), dans un bus dont le billet coûtait moins de 100 dollars et qui traversait des pays certainement très intéressants : la Turquie, le Liban, l'Iran, l'Irak, l'Afghanistan, le Pakistan et une partie de l'Inde (très loin du temple de Maharishi, soit dit au passage). Le voyage durait de longues semaines et parcourait une quantité incroyable de kilomètres.

Karla était assise place du Dam et se demandait quand l'individu qui l'accompagnerait dans cette aventure magique (à ses yeux, bien sûr) allait bien pouvoir apparaître. Elle avait quitté son emploi à Rotterdam, qui n'était qu'à une heure de train, mais désireuse d'économiser le moindre centime elle était venue en stop, ce qui lui avait pris presque une journée. Elle avait découvert l'existence d'un bus pour le Népal dans un des nombreux journaux alternatifs que des gens convaincus d'avoir quelque chose à dire au monde fabriquaient avec beaucoup de sueur, d'amour et de travail, pour les vendre ensuite à un prix dérisoire.

Au bout d'une semaine d'attente, ses nerfs commencèrent à s'échauffer. Elle avait abordé une dizaine de garçons venus du monde entier, qui n'avaient d'autre ambition que de rester ici, sur cette place sans le moindre attrait, mis à part un monument en forme de phallus qui aurait au moins dû stimuler leur virilité et leur courage. Mais non : aucun d'entre eux n'était prêt à aller dans des endroits aussi inconnus.

Ce n'était pas une question de distance : la plupart venaient des États-Unis, d'Amérique latine, d'Australie ou d'autres pays lointains, ils avaient donc dépensé une somme d'argent considérable pour leurs billets d'avion et dû passer de nombreux postes-frontières, où ils pouvaient se faire refouler et renvoyer dans leurs pays d'origine sans même avoir connu l'une des deux capitales du monde. Ils débarquaient là, s'asseyaient sur cette place sans charme, fumaient de la marijuana, se réjouissaient de pouvoir le faire au nez et à la barbe des policiers, et se faisaient littéralement séquestrer par des sectes et des religions qui abondaient en ville. Ils oubliaient, pour un temps du moins, ce dont on leur rebattait les oreilles : « Fiston, tu dois aller à l'université, couper ces cheveux ; ne fais pas honte à tes parents sinon les autres *(mais quels autres ?)* vont raconter que nous t'avons mal élevé ; ce que tu écoutes ce n'est *pas* de la musique ; il est temps que tu trouves un travail, regarde ton frère (ou ta sœur) qui est plus jeune et qui peut se faire plaisir avec son argent sans rien nous demander. »

Loin de la sempiternelle litanie familiale, ils étaient devenus libres, et l'Europe était un lieu sûr – à condition bien entendu de ne pas s'aventurer au-delà du fameux rideau de fer, ce qui revenait à « envahir » un pays communiste. Et ils étaient heureux, parce que les voyages forment la jeunesse – mais l'expliquer à ses parents était une autre paire de manches.

« Papa, je sais que tu veux que j'aie un diplôme, mais je pourrai en avoir un n'importe quand, maintenant j'ai besoin d'expérience. »

Mais aucun père ne pouvait comprendre cette logique, et il ne restait plus qu'à rassembler un peu d'argent, vendre quelques affaires, et quitter la maison pendant que toute la famille dormait.

Donc Karla était entourée d'êtres libres et déterminés à vivre des choses que la plupart des gens n'avaient pas le courage de vivre. Mais alors, pourquoi ne pas aller à Katmandou en bus ?

« Parce que ce n'est pas l'Europe, répondaient-ils. C'est l'inconnu total pour nous.

— Oui mais s'il arrive quelque chose, on pourra toujours aller au consulat et demander à être rapatriés. »

Karla ne connaissait personne qui ait vécu cette aventure, mais cette légende courait, et une légende, à force d'être répétée, finit par devenir réalité.

Au bout de cinq jours à attendre celui qu'elle désignerait comme son « compagnon de route », elle fut gagnée par le désespoir. Elle dépensait de l'argent dans un dortoir, alors qu'elle aurait facilement pu dormir dans le « Magic Bus » (c'était le nom officiel de l'autocar à 100 dollars qui parcourait des milliers de kilomètres). Elle décida d'entrer dans le cabinet d'une voyante devant lequel elle passait chaque jour en allant place du Dam. Le cabinet, comme d'habitude, était vide – en septembre 1970 tout le monde avait des pouvoirs paranormaux, ou était en train de les développer. Mais Karla était une femme pratique ; même si elle méditait tous les jours et était convaincue d'avoir commencé à développer son troisième œil – un point invisible entre les deux yeux –, elle n'avait rencontré jusqu'à présent que des garçons qui n'étaient pas faits pour elle, quand bien même son intuition lui garantissait que c'étaient les bons.

Elle décida donc d'avoir recours à cette voyante, notamment parce que cette attente sans fin (presque une semaine s'était déjà écoulée, une éternité !) l'amenait à envisager de partir avec une autre fille, ce qui pouvait être un suicide : elles allaient traverser de nombreux pays où deux femmes seules seraient au mieux mal vues, au pire, selon sa grand-mère, vendues comme « esclaves blanches » (si elle trouvait l'expression érotique, elle n'avait pas envie de l'éprouver dans sa chair pour autant).

La voyante, qui s'appelait Layla, était un peu plus âgée qu'elle et vêtue de blanc. Elle la reçut avec le sourire béat de qui vit en contact avec l'Être supérieur, et par une courbette (elle se disait sûrement « je vais enfin gagner assez pour le loyer du jour »), puis elle lui demanda de s'asseoir, ce que Karla fit, et la félicita d'avoir choisi pile la zone de pouvoir de la pièce. Karla fit intérieurement semblant de réussir à ouvrir son troisième œil, mais son subconscient l'avertit que Layla devait dire ça à tout le monde – ou plutôt aux rares personnes qui entraient chez elle.

Mais revenons-en à notre affaire. La voyante alluma un bâtonnet d'encens, en précisant bien : « Il vient du Népal », mais Karla savait qu'il avait été fabriqué tout près : l'encens faisait partie des grandes industries hippies, avec les colliers, les chemises batik et les motifs brodés comme le symbole de la paix, les fleurs ou les mots *Flower Power* à apposer sur ses habits. Layla se mit à battre un jeu de cartes, lui demanda de couper au milieu, en retourna trois et se lança dans l'interprétation la plus traditionnelle qui soit. Karla l'interrompit.

« Je ne suis pas venue pour ça. Je veux juste savoir si je vais trouver quelqu'un pour m'accompagner à l'endroit d'où vous avez dit… – elle appuya bien sur ces derniers mots parce qu'elle ne voulait pas d'un mauvais karma : si elle s'était bornée à « je veux aller au même endroit », elle se serait peut-être retrouvée dans une usine de la banlieue d'Amsterdam – d'où vous avez dit que venait l'encens. »

Layla sourit, même si sa vibration avait changé : en son for intérieur elle bouillonnait de rage d'avoir été interrompue dans un moment aussi solennel.

« Oui, bien sûr que vous allez trouver. »

Les voyantes et les cartomanciennes doivent toujours dire ce que les clients veulent entendre…

« Et quand ?

— D'ici demain soir. »

Toutes deux furent saisies de surprise.

Karla sentit pour la première fois que l'autre disait la vérité : elle venait de parler d'un ton emphatique et positif, comme si sa voix émanait d'une autre dimension. Pour sa part, Layla se fit une frayeur – ces moments d'extralucidité étaient rares. Et quand ils se produisaient, elle craignait d'être punie pour avoir pénétré sans cérémonie dans ce monde qui semblait vrai et faux à la fois. Pourtant, elle s'en justifiait chaque nuit dans ses prières, arguant qu'elle se contentait d'aider les autres, de donner de l'espoir à ceux qui voulaient y croire.

Karla se leva aussitôt de la « zone de pouvoir », paya la moitié de la consultation et sortit avant que son compagnon de voyage tant attendu n'arrive. « D'ici demain soir » c'était vague, ça pouvait aussi bien être aujourd'hui. Quoi qu'il en soit, elle savait que désormais elle attendait quelqu'un.

Elle regagna sa place sur le Dam, ouvrit le livre qu'elle avait commencé à lire et que peu de gens connaissaient, ce qui à ses yeux donnait un statut d'« écrivain culte » à son auteur. C'était *Le Seigneur des anneaux*, de J.R.R. Tolkien, qui évoquait des lieux mythiques comme celui qu'elle rêvait de visiter. Elle fit semblant de ne pas entendre les garçons qui venaient la déranger toutes les cinq minutes avec une question idiote, un prétexte creux pour engager une conversation encore plus creuse.

Paulo et l'Argentin, qui avaient épuisé tous les sujets de discussion possibles, contemplaient à présent ces terres plates. Avec eux voyageaient des souvenirs, des noms, une curiosité, et surtout une énorme peur de ce qui les attendait à la frontière hollandaise, qui n'était probablement plus qu'à une vingtaine de minutes.

Paulo entreprit de cacher ses longs cheveux dans le col de sa veste.

« Tu crois que tu vas réussir à tromper les douaniers avec ça ? lui demanda l'autre. Ils sont habitués à tout, vraiment à tout. »

Paulo renonça à son entreprise, puis demanda à son compagnon s'il était inquiet.

« Bien sûr que oui. J'ai déjà deux tampons d'entrée aux Pays-Bas. Ils vont se méfier, ils vont penser que je viens très souvent. Et ça, ça ne peut signifier qu'une chose. »

Du trafic. Mais de ce que Paulo en savait, la drogue ici était légale.

« Bien sûr que non. Les opiacées font l'objet d'une répression sévère. Pareil pour la cocaïne. Bon, pour le LSD il n'y a aucun moyen de contrôle, puisqu'il suffit de mouiller une page de livre ou un morceau de tissu dans la solution, de le découper et de le revendre par petits bouts. Mais tout ce qui est détectable peut mener tout droit en prison. »

Paulo trouva préférable de ne pas poursuivre cette conversation. Il mourait d'envie de demander à l'Argentin s'il avait quelque chose sur lui, mais le simple fait de le savoir le rendrait complice d'un crime. Il avait déjà fait de la prison une fois, bien que totalement innocent, dans un pays qui affichait sur toutes les portes de ses aéroports : « Le Brésil, tu l'aimes ou tu le quittes. »

Essayer de chasser les pensées négatives de son esprit produit souvent l'effet inverse : la négativité attire encore plus d'énergies diaboliques. Le simple souvenir de cet événement de 1968 accéléra le battement de son cœur et lui fit revivre dans ses moindres détails ce soir-là, dans un hôtel de Ponta Grossa, dans le Paraná – un État brésilien connu pour fournir des passeports aux grands blonds aux yeux clairs.

Il revenait alors de son premier long voyage sur la route hippie à la mode, avec sa petite amie. Plus âgée que lui de onze ans, elle était née et avait grandi sous le régime communiste en Yougoslavie, dans une famille noble qui avait tout perdu, mais lui avait donné une éducation grâce à laquelle elle parlait quatre langues ; elle s'était enfuie au Brésil, mariée avec un millionnaire sous le régime de la communauté des biens, et séparée de lui en découvrant qu'il la considérait vieille à trente-trois ans et flirtait avec une jeunette de dix-neuf ans ; elle avait pris un excellent avocat qui lui avait obtenu une pension suffisante pour ne plus travailler un seul jour du reste de sa vie. Paulo et elle étaient partis à Machu Picchu dans ce qu'on surnommait le Train de la Mort, un train bien différent de celui qui circulait désormais.

« Pourquoi est-ce qu'on l'appelle Train de la Mort ? demanda-t-elle au contrôleur. On ne passe pas beaucoup de précipices. »

Paulo se fichait pas mal de la réponse, qui tomba tout de même.

« Autrefois, on utilisait ce convoi-là pour transporter des lépreux, des malades et les corps des victimes d'une grave épidémie de fièvre jaune qui s'était abattue sur la région de Santa Cruz.

— Je suppose que les wagons ont été soigneusement désinfectés.

— Depuis cette époque, à l'exception d'un ou deux mineurs qui avaient des comptes à régler entre eux, plus personne n'est mort. »

Il parlait des hommes qui travaillaient nuit et jour dans les mines d'étain de Bolivie, et non des natifs de l'État de Minas Gerais, au Brésil. Bon, ils étaient dans un monde civilisé, il fallait espérer que personne n'ait de comptes à régler ce jour-là. Mais ils pouvaient être tranquilles : la plupart des passagers étaient des passagères, avec leurs chapeaux melon et leurs habits bariolés.

*

Ils arrivèrent à La Paz, la capitale, à 3 640 mètres d'altitude. Étant montés en train, ils ne sentirent pas vraiment l'effet du manque d'oxygène. Mais en descendant à la gare, ils tombèrent sur un jeune assis par terre et à l'air un peu perdu, dont la tenue indiquait la tribu à laquelle il appartenait. Ils lui demandèrent ce qui lui arrivait : « J'ai du mal à respirer. » Un passant lui suggéra de mâcher des feuilles de coca – la coutume locale qui aidait les autochtones à supporter l'altitude –, qui étaient en vente libre sur les marchés. Le garçon, qui se sentait déjà mieux, les pria de le laisser seul : il partait pour Machu Picchu le jour même.

*

La réceptionniste de l'hôtel qu'ils choisirent prit sa petite copine à part, lui glissa quelques mots puis leur fit remplir une fiche. Ils montèrent dans la chambre et s'endormirent aussitôt, non sans que Paulo lui ait demandé ce que la femme lui avait confié :

« Pas de sexe les deux premiers jours. »

C'était clair. De toute façon, il n'avait envie de rien.

Ils passèrent leurs deux premiers jours à la Paz sans faire l'amour, et ne ressentirent aucun effet secondaire dû au manque d'oxygène, le fameux *soroche*. Ils en attribuèrent la raison aux bienfaits thérapeutiques des feuilles de coca, mais ils se trompaient : le *soroche* agit sur les gens qui quittent le niveau de la mer et montent à de hautes altitudes d'un seul coup – autrement dit en avion – sans laisser à l'organisme le temps de s'habituer. Or ils avaient passé sept longues journées à grimper par le Train de la Mort. C'était bien mieux pour s'adapter au lieu, et bien plus sûr que l'avion : Paulo avait vu à l'aéroport de Santa Cruz de la Sierra un monument dédié « aux pilotes héroïques de la compagnie, qui ont sacrifié leurs vies en accomplissant leur devoir ».

Puis, ils rencontrèrent les premiers hippies, qui en tant que tribu mondiale consciente de la responsabilité et de la solidarité mutuelles que leurs membres se devaient, utilisaient toujours le fameux symbole de la rune viking inversée. Dans le cas de la Bolivie, un pays où tout le monde portait des ponchos, des blousons, des vestes et des chemises multicolores, il leur était quasiment impossible de se repérer sans l'aide de la rune cousue sur les manteaux ou les pantalons.

Ces premiers hippies étaient une Canadienne et deux Allemands. Ceux-ci invitèrent d'emblée sa copine, qui parlait leur langue, à faire une balade en ville, tandis que la Canadienne et lui restaient là à se regarder, sans savoir au juste quoi se dire. Quand, une demi-heure plus tard, les trois autres revinrent de leur promenade, ils décidèrent de partir sur-le-champ plutôt que de dépenser leur argent ici : ils poursuivraient jusqu'au lac Titicaca, l'étendue d'eau douce la plus haute du monde, le traverseraient en bateau, débarqueraient sur la rive opposée, déjà située au Pérou, puis iraient tout droit vers Machu Picchu.

Tout se serait passé comme prévu si, une fois sur les bords du lac Titicaca, ils ne s'étaient retrouvés devant un monument très ancien, la Porte du Soleil. Assis en cercle autour de l'édifice, d'autres hippies, se tenant par la main, accomplissaient un rituel auquel ils avaient très envie de participer, mais qu'ils craignaient d'interrompre.

Mais une jeune femme leur adressa un signe de tête, et ils rejoignirent le groupe.

Il était inutile d'expliquer la raison de leur présence ici : la porte parlait d'elle-même. Mis à part la fissure qu'elle présentait au milieu du linteau, causée par un éclair peut-être, c'était une véritable splendeur, dont les bas-reliefs narraient l'histoire d'un temps oublié, mais néanmoins bien présent, qui ne demandait qu'à être remémoré et redécouvert. Elle avait été sculptée dans un seul bloc, et sur le linteau figuraient des anges, des seigneurs, des symboles qui, d'après les autochtones, indiquaient comment récupérer le monde au cas où il serait détruit par l'avidité humaine. Paulo, voyant le lac Titicaca à travers l'ouverture de la porte, se mit à pleurer, comme s'il était entré en contact avec ses bâtisseurs – des gens qui avaient abandonné le lieu à la hâte, sans avoir achevé leur travail, peut-être effrayés par des intrus ou un phénomène qui les forçaient à s'enfuir. La jeune femme qui les avait invités à rejoindre le cercle, les yeux baignés de larmes, esquissa un sourire. Tous les autres, paupières closes, conversaient avec les Anciens, cherchaient à savoir ce qui les avait conduits ici ou respectaient le mystère.

Qui veut apprendre la magie doit commencer par regarder autour de lui. Dieu a placé à la vue de l'être humain tout ce qu'il a voulu lui dire, c'est la fameuse Tradition du Soleil.

La Tradition du Soleil est démocratique : elle n'est pas réservée aux chercheurs universitaires ou religieux. Le pouvoir se trouve dans toutes les petites choses qui jalonnent le chemin d'un Homme. Le monde est une salle de classe. L'Amour suprême, sachant que vous êtes vivant, vous enseignera.

Et tous gardaient le silence, attentifs à ce prodige qu'ils ne parvenaient pas à comprendre précisément, mais auquel ils croyaient. Une fille entonna une chanson dans une langue que Paulo ne connaissait pas. Un garçon, l'aîné de tous peut-être, se leva, ouvrit les bras, et lança une invocation :

> *Puisse Dieu t'accorder*
> *À chaque orage, un arc-en-ciel,*
> *À chaque pleur, un sourire,*
> *À chaque souci, une promesse,*

Une bénédiction pour chaque épreuve,
Un ami pour chaque instant de solitude,
Et une réponse à chaque prière.

C'est alors qu'une sirène de bateau retentit – un bateau construit puis démonté en Angleterre, transporté au Chili et enfin apporté en pièces détachées, à dos de mulet, jusqu'aux 3 800 mètres d'altitude du lac.

Ils embarquèrent tous pour l'ancienne cité perdue des Incas.

Ils y passèrent des journées inoubliables – rares étaient les gens qui atteignaient ce lieu, seuls y parvenaient les enfants de Dieu, ceux qui étaient libres d'esprit et prêts à affronter l'inconnu sans peur.

Ils vécurent là, dormant dans les maisons abandonnées et dépourvues de toits, contemplant les étoiles, faisant l'amour, mangeant leurs provisions, se baignant tous les jours nus dans la rivière qui coulait en bas de la montagne, discutant de la possibilité que les dieux puissent vraiment être des astronautes arrivés sur Terre dans cette région. Ils avaient tous lu le livre de ce Suisse qui interprétait les dessins incas comme des représentations des voyageurs des étoiles. Ils étaient aussi fervents des écrits de Lobsang Rampa, ce moine tibétain qui évoquait l'ouverture du troisième œil – jusqu'à ce qu'un Anglais raconte à l'assemblée réunie sur la place centrale de Machu Picchu que ce fameux moine s'appelait en vérité Cyril Henry Hoskin et était à l'origine plombier dans la campagne anglaise. Son identité avait récemment été découverte et son authenticité démentie par le dalaï-lama.

Tout le groupe s'en trouva déboussolé, d'autant plus que chacun, Paulo y compris, était convaincu qu'il existait vraiment une glande entre les deux yeux, la glande pinéale, dont la véritable fonction n'avait pas encore été mise au jour par les scientifiques. Donc, le troisième œil existait – mais pas comme Lobsang Cyril Rampa Hoskin l'avait décrit.

Le matin du troisième jour, sa petite amie décréta qu'elle voulait rentrer et qu'il devait l'accompagner. Sans prendre congé ni regarder en arrière, ils partirent avant le lever du soleil et passèrent deux jours à descendre la face est de la cordillère dans un bus bondé de gens, d'animaux domestiques, de produits alimentaires et d'artisanat. Paulo en profita pour acheter un sac bariolé, qu'il pouvait plier et ranger dans son sac à dos. Il se promit aussi de ne plus jamais faire de voyage en bus d'une durée supérieure à une journée.

De Lima, ils partirent en stop pour le Chili : le monde était sûr et, malgré la peur qu'inspirait leur accoutrement, les conducteurs s'arrêtaient pour les prendre. À Santiago, après une bonne nuit de sommeil, ils prièrent quelqu'un de leur dessiner un plan pour arriver au tunnel qui, sous la cordillère, reliait le Chili à l'Argentine. Puis ils poursuivirent leur route vers le Brésil, à nouveau en stop, car sa petite amie arguait que l'argent pouvait leur servir en cas d'urgence médicale. Elle était toujours prudente, toujours plus sage, imprégnée de son éducation communiste pratique qui l'empêchait de se détendre tout à fait.

Une fois au Paraná – l'État où la plupart des détenteurs de passeport étaient blonds aux yeux bleus –, elle suggéra une nouvelle escale.

« On va visiter Vila Velha. Il paraît que c'est un endroit magnifique. »

Ils ne virent pas le cauchemar arriver.

Ils ne pressentirent pas l'enfer.

Ils ne purent se préparer à ce qui les attendait.

Ils étaient passés par plusieurs endroits magnifiques, uniques, dont la beauté laissait présager leur destruction future par des hordes de touristes ne pensant qu'à acheter et tout comparer avec les délices de chez eux. Le ton de sa petite amie était sans réplique : elle n'avait pas posé une question, c'était sa façon de parler.

Bien sûr, on va visiter Vila Velha, c'est un endroit magnifique.

La municipalité la plus proche essayait à tout prix de promouvoir ce site géologique aux sculptures naturelles impressionnantes, façonnées par le vent. Tout le monde connaissait l'existence de Vila Velha, pourtant certains étourdis atterrissaient sur une plage du même nom située dans un État proche de Rio de Janeiro, tandis que d'autres trouvaient le site très intéressant, mais trop difficile d'accès pour s'y rendre.

Paulo et sa petite amie étaient les seuls visiteurs et furent impressionnés par l'aptitude de la nature à créer des calices, des tortues, des chameaux, ou plus exactement par celle de l'être humain à donner des noms à tout, car le chameau en question ressemblait plutôt à une grenade pour elle et à une orange pour lui. Enfin, à l'inverse de ce qu'ils avaient vu à Tiahuanaco, ces sculptures en arénite laissaient le champ libre à toutes sortes d'interprétations.

Puis ils repartirent en stop vers Ponta Grossa, la ville la plus proche. Sachant le terme de leur voyage proche, elle décréta – décidément il n'avait jamais son mot à dire – qu'ils iraient ce soir-là, pour la première fois depuis de longues semaines, dormir dans un bon hôtel et manger de la viande au dîner. De la viande ! C'était une des traditions de la région, et ils n'en avaient plus goûté depuis leur départ de La Paz, le prix leur paraissant toujours exorbitant.

Ils descendirent dans un vrai hôtel, prirent une douche et firent l'amour, avant d'aller à la réception pour demander l'adresse d'un bon *rodízio*, ces restaurants où la viande est servie à volonté.

Alors qu'ils attendaient le réceptionniste, deux hommes s'approchèrent et leur enjoignirent de les suivre dehors. Ils gardaient les mains dans les poches, comme s'ils dissimulaient une arme et tenaient à le leur montrer.

« Du calme ! leur a dit sa petite amie, convaincue qu'ils les agressaient. J'ai une bague en diamants dans notre chambre. »

*

Mais ils les avaient déjà attrapés par le bras et poussés dehors, tout en les éloignant l'un de l'autre. Deux voitures banalisées attendaient dans la rue déserte, ainsi que deux autres hommes. L'un d'eux pointait son arme sur le jeune couple.

« Ne bougez pas, ne faites pas le moindre mouvement suspect. Nous allons vous fouiller. »

Et ils se mirent à les palper sans ménagement. Elle tenta de protester, tandis qu'il entrait dans une sorte de transe, de crise d'épouvante. Tout ce qu'il arrivait à faire, c'était regarder sur le côté pour voir si un témoin de la scène allait finir par appeler la police.

« Ferme-la, sale pute », lui lança l'un des hommes.

Ils arrachèrent les pochettes qu'ils portaient autour de la taille, contenant leur passeport et leur argent, avant de les enfourner l'un et l'autre dans un véhicule. Paulo n'eut même pas le temps de voir ce qui arrivait à sa petite amie, qui ne parvint pas non plus à savoir ce qu'ils faisaient de lui.

Sur la banquette arrière se trouvait un autre homme.

« Mets ça, lui dit-il en lui tendant une cagoule. Et couche-toi par terre. »

Paulo obtempéra : son cerveau avait perdu toute capacité de réaction. La voiture démarra en trombe. Il aurait voulu dire que sa famille avait de l'argent, qu'elle paierait n'importe quelle rançon, mais les mots ne sortaient plus de sa bouche.

Le train freina, ce qui indiquait peut-être que la frontière néerlandaise était proche.

« Tout va bien, mon pote ? » lui demanda l'Argentin.

Paulo hocha la tête, tout en cherchant un sujet de conversation pour exorciser ses pensées. Plus d'une année s'était écoulée depuis son passage à Vila Velha, et la plupart du temps il arrivait à contrôler les démons de son esprit. Mais dès qu'il voyait l'inscription POLICE, même sur l'uniforme d'un simple garde-frontière, la panique le reprenait. Cette fois-ci elle ne revenait pas seule, mais avec toute son histoire, qu'il avait racontée à quelques amis avec un certain recul, comme s'il s'observait lui-même. Mais là, pour la première fois, c'était en lui qu'il la retraçait.

— Ce n'est pas grave s'ils nous refoulent, poursuivit l'autre. On passera par la Belgique.

Mais Paulo ne voulait plus en parler – la paranoïa était de retour. Et si l'autre faisait vraiment du trafic de drogues dures ? Et s'ils en concluaient qu'il était son complice et décidaient de le jeter en prison jusqu'à avoir la preuve de son innocence ?

Le train s'arrêta. Ce n'était pas encore la douane, mais une petite gare au milieu de nulle part, où deux personnes montèrent et cinq descendirent. Voyant que Paulo n'avait pas très envie de parler, son compagnon le laissa dans ses pensées, non sans s'inquiéter : son visage avait vraiment changé d'expression.

« Tout va bien, tu es sûr ? lui redemanda-t-il une dernière fois.

— Je suis en train d'exorciser quelque chose. »

L'autre comprit et se tut.

Paulo savait qu'ici, en Europe, ces choses-là n'arrivaient pas, ou plutôt qu'elles relevaient du passé. Et il se demandait toujours comment les gens, en marchant vers les chambres à gaz des camps de concentration, ou alignés devant une fosse commune après avoir vu la rangée de devant fusillée par le peloton, n'avaient pas l'ébauche d'une réaction, n'essayaient pas de s'enfuir, n'attaquaient pas leurs exécuteurs.

La réponse était très simple : la panique est si grande que l'on n'est plus là. Le cerveau bloque tout, il n'y a plus ni terreur ni peur, juste une étrange soumission aux événements. Les émotions disparaissent pour laisser place à une sorte de limbe, selon un mécanisme aujourd'hui encore inexpliqué par les scientifiques. Les médecins mettent en général sur ce phénomène une étiquette, « schizophrénie temporaire causée par le stress », sans se préoccuper d'examiner avec attention les effets de cette absence totale d'émotions, ou *flat affect*, comme ils l'appellent.

Et, peut-être pour expulser totalement les fantômes du passé, il se remémora l'histoire jusqu'à la fin.

L'homme sur la banquette arrière avait l'air plus humain que les individus qui les avaient accostés à l'hôtel.

« Ne t'inquiète pas, on ne va pas vous tuer. Couche-toi par terre. »

Mais il ne s'inquiétait pas du tout : sa tête avait tout bonnement cessé de fonctionner. On aurait dit qu'il était entré dans une réalité parallèle, que son cerveau refusait d'accepter ce qui se passait. Il parvint seulement à poser une question basique.

« Je peux me tenir à votre jambe ?

— Bien sûr. »

Paulo s'y accrocha très fort, peut-être plus fort que ce que l'autre avait imaginé, peut-être lui faisait-il mal, mais l'homme ne réagit pas et le laissa faire – il pouvait certainement s'imaginer ce que son prisonnier ressentait, et il ne devait pas être ravi de voir un jeune homme plein de vie en passer par là. Mais il avait reçu des ordres.

*

La voiture roula un temps indéterminé, et plus elle roulait, plus Paulo était convaincu qu'on l'emmenait pour l'exécuter. Il pensait comprendre un peu la situation : il avait été enlevé par des paramilitaires et faisait désormais officiellement partie des disparus de la dictature. Mais à quoi cela l'avançait-il ?

La voiture s'immobilisa. On l'en sortit brutalement pour le pousser dans ce qui semblait être un couloir. Tout à coup, son pied buta sur un obstacle, une sorte de barre.

« Doucement, s'il vous plaît », supplia-t-il.

Et il reçut un premier coup de poing en pleine tête.

« Ferme-la, sale terroriste ! »

Il s'écroula. On lui ordonna de se relever et d'ôter tous ses vêtements en faisant attention à ne pas soulever la cagoule. Il obéit, et reçut aussitôt une volée de coups. Mais ignorant d'où ils pleuvaient, il ne pouvait s'y préparer, tendre ses muscles, et la douleur était bien plus intense que toutes celles qu'il avait pu ressentir dans n'importe quelle bagarre de sa jeunesse. Il retomba, et les coups de poing se changèrent en coups de pied. La raclée dut durer dix à quinze minutes, jusqu'à ce qu'une voix en ordonne l'arrêt.

Il était conscient, mais il n'aurait pu dire s'il avait quelque chose de cassé : il avait si mal qu'il était incapable de bouger. Pourtant, la voix qui avait exigé la fin de la première séance de torture lui demanda de se relever. Avant de le bombarder de questions sur la guérilla, sur ses complices, sur ce qu'il était allé fabriquer en Bolivie. Était-il en contact avec les compagnons de Che Guevara ? Où étaient cachées les armes ? « Je t'arracherai un œil dès qu'on sera sûr de ton implication dans le mouvement. » Une autre voix, celle du fameux « gentil policier », prit le contre-pied. Il valait mieux qu'il avoue le braquage d'une banque des alentours, comme ça tout serait clair, il serait mis en prison pour ses crimes, et au moins on cesserait de le frapper.

C'est à ce moment-là, alors qu'il se levait à grand-peine, qu'il commença à sortir de son état léthargique et à retrouver un réflexe qui faisait partie, à ses yeux, des qualités de l'être humain : l'instinct de survie. Il devait se tirer de cette situation. Il devait clamer son innocence.

Ils lui demandèrent ce qu'il avait fait la semaine précédente. Il raconta tout dans les moindres détails, même s'il se doutait qu'ils n'avaient jamais entendu parler de Machu Picchu.

« Ne perds pas ton temps à nous embobiner, rétorqua le "méchant policier". On a trouvé le plan dans votre chambre d'hôtel. La blonde et toi vous avez été vus sur le lieu du braquage. »

Mais quel plan ?

Par une fente de la cagoule, l'homme lui montra le croquis qui leur avait permis, au Chili, d'atteindre le tunnel sous la cordillère des Andes.

« Les communistes croient qu'ils vont gagner les élections. Qu'Allende utilisera l'or de Moscou pour acheter toute l'Amérique latine. Mais ils se trompent lourdement. Quelle est ta position sur l'alliance qu'ils sont en train de former ? Et quels sont tes contacts au Brésil ? »

Suppliant, il leur jura que tout cela était faux, qu'il était juste un jeune qui voulait voyager et connaître le monde, et il en profita pour demander des nouvelles de sa petite amie.

« Celle qui a été envoyée de Yougoslavie, d'un pays communiste, pour démolir la démocratie au Brésil ? Elle reçoit le traitement qu'elle mérite », répondit le « méchant policier ».

La terreur menaça de le reprendre, mais il devait se contrôler. Il devait trouver comment sortir de ce cauchemar. Il devait se réveiller.

*

Quelqu'un posa une caisse munie de fils électriques et d'une manivelle entre ses pieds. Un autre précisa qu'ils appelaient cela un « téléphone », qu'il suffisait d'accrocher les pinces métalliques à la peau et de tourner la manivelle pour envoyer un choc : « Aucun mâle n'y résiste. »

Soudain, à cette description, Paulo trouva la seule issue possible. Il oublia sa soumission et haussa la voix :

« Vous croyez que j'ai peur de votre machine ? Que j'ai peur de la douleur ? Pas de souci, je vais me torturer moi-même ! J'ai déjà été interné en hôpital psychiatrique. Pas une fois, ni deux, mais trois. J'ai déjà reçu des tas de chocs électriques, je peux très bien faire le travail à votre place. Vous devez le savoir, je suppose que vous connaissez tout de ma vie. »

Et il se mit à se griffer partout jusqu'au sang, en hurlant qu'ils savaient tout, qu'ils pouvaient bien le tuer, il s'en fichait complètement, il croyait en la réincarnation et il reviendrait les chercher, eux et leurs familles, sitôt arrivé dans l'autre monde.

Quelqu'un s'approcha et lui attrapa les mains. Aucun d'eux n'avait rien dit, mais Paulo sentait qu'ils étaient tous effrayés.

« Arrête, Paulo, dit le "gentil policier". Tu peux m'expliquer ce que c'est que ce plan ? »

En criant comme un fou, il expliqua comment, à leur passage à Santiago, ils avaient eu besoin d'aide pour trouver le tunnel entre le Chili et l'Argentine.

« Et ma copine, où est ma copine ? »

Il hurlait de plus en plus fort, dans l'espoir qu'elle puisse l'entendre. Le « gentil policier » s'efforça de le calmer. Visiblement, au début des années de plomb, la répression n'avait pas atteint sa brutalité maximale.

Il lui demanda d'arrêter de trembler, affirma que s'il était innocent il n'avait pas à s'inquiéter, mais qu'ils devaient d'abord vérifier, de leur côté, ses déclarations. En attendant, il devrait rester là. Le policier ne précisa pas combien de temps, mais il lui offrit une cigarette. Paulo remarqua que des gens quittaient la pièce, il ne devait plus avoir autant d'intérêt pour eux.

« Quand je serai sorti et que la porte se sera refermée, tu pourras enlever la cagoule. Chaque fois que quelqu'un viendra ici, il toquera pour que tu la remettes. Dès qu'on aura toutes les informations nécessaires, on te relâchera.

— Et ma copine ? »

Il ne méritait pas ça. Il avait beau être un mauvais fils, avoir donné quantité de maux de tête à ses parents, il ne méritait pas ça. Il était innocent, mais s'il avait eu une arme à ce moment-là, il aurait été capable de leur tirer dessus à tous. Il n'y a pas de sensation plus terrible que celle d'être puni pour une chose que l'on n'a pas commise.

« Ne t'en fais pas. Nous ne sommes pas des monstres violeurs. Nous voulons juste en finir avec ceux qui tentent de démolir notre pays. »

L'homme sortit, la porte se referma, et Paulo ôta la cagoule. Il se trouvait dans une pièce insonorisée, ce qui expliquait la présence de la barre sur laquelle il avait trébuché en entrant. Le mur de droite était percé d'une grande vitre opaque, sans doute pour surveiller le prisonnier. Il y avait aussi deux ou trois impacts de balle dans le mur, et un cheveu semblait sortir de l'un d'eux. Mais il devait faire semblant de se moquer de tout. Il examina sa peau, les griffures et le sang qu'il avait fait couler lui-même, il inspecta chaque portion de son corps et constata qu'il n'avait rien de cassé : ils étaient maîtres dans l'art de ne laisser aucune marque durable, et c'était peut-être justement pour ça que sa réaction les avait effrayés.

Il supposa que la prochaine étape pour eux serait d'entrer en contact avec Rio de Janeiro pour vérifier cette histoire d'internements et de chocs électriques, ainsi que son itinéraire et celui de sa petite amie, dont le passeport étranger pouvait la protéger comme la condamner, puisqu'elle venait d'un pays communiste.

S'il avait menti, il serait torturé sans relâche durant plusieurs jours. S'il avait dit la vérité, ils arriveraient peut-être à la conclusion qu'il n'était vraiment qu'un hippie drogué, un fils de bonne famille, et ils le relâcheraient.

Il n'avait pas menti et il priait pour que les autres le découvrent vite.

Combien de temps resta-t-il dans cet endroit dépourvu de fenêtre, sous la lumière allumée en permanence, dans ce centre de torture ? Était-il dans une caserne ? Dans un commissariat ? Il ne vit pour tout visage que celui du photographe, qui lui demanda d'ôter sa cagoule et de se mettre de profil, avant de placer son appareil à hauteur de son visage pour cacher qu'il était nu, de prendre une photo puis de sortir sans échanger un mot.

Même les coups frappés à la porte n'obéissaient à aucune règle lui permettant de définir une routine : le petit déjeuner était parfois suivi du déjeuner après un minuscule intervalle, et le dîner venait des heures plus tard. Quand il devait aller aux toilettes, il enfilait la cagoule et toquait à la porte jusqu'à ce qu'ils en déduisent ce qu'il voulait à travers le miroir sans tain. Il tentait d'échanger quelques mots avec le type qui le conduisait aux sanitaires, en vain. Tout n'était que silence.

La plupart du temps, il dormait. Un jour (ou une nuit ?) il songea à utiliser cette expérience pour méditer ou se concentrer sur quelque chose de supérieur : il se souvenait que saint Jean de La Croix parlait de la nuit sombre de l'âme, que des moines passaient des années reclus dans des grottes en plein désert ou dans les montagnes de l'Himalaya. Il pouvait suivre leur exemple, utiliser ce qui lui arrivait pour essayer de devenir meilleur. À force de réfléchir, il en conclut que le réceptionniste de l'hôtel (sa petite amie et lui devaient être les seuls clients) les avait dénoncés. Par moments, il avait envie, sitôt sorti de là, de retourner le tuer, et à d'autres il se disait que la meilleure manière de servir Dieu était de lui pardonner du fond du cœur, car cet homme ne savait pas ce qu'il faisait.

Mais le pardon est un art très difficile, et s'il cherchait un contact avec l'Univers dans tous ses voyages, il n'était pas pour autant obligé, du moins à ce stade de sa vie, de supporter les gens qui se moquaient tout le temps de leurs cheveux longs et qui leur criaient en pleine rue : « Depuis combien de temps vous ne vous êtes pas lavés ? » Ni ceux qui, voyant dans ses vêtements bariolés une preuve de sa sexualité incertaine, lui demandaient avec combien d'hommes il avait couché. Ni ceux qui lui lançaient : « Allez, arrête de faire le vagabond et de te droguer, va chercher un travail décent, participe à l'effort commun pour sortir ton pays de la crise ! »

La haine, le sentiment d'injustice, le désir de vengeance et l'absence de pardon l'empêchaient de se concentrer suffisamment, et sa méditation était interrompue par des pensées sordides, tout à fait justifiées à ses yeux. Avaient-ils averti sa famille ?

Ses parents ignoraient au juste la date de son retour, mais son absence prolongée devait les intriguer. Ils mettaient tout sur le dos de sa petite amie qui, étant plus âgée, essayait d'après eux de l'utiliser pour satisfaire ses désirs inavouables, pour casser sa routine d'aristo frustrée, d'étrangère dans un pays hostile, de manipulatrice de jeunes hommes qui se cherchaient une mère de substitution plutôt qu'une compagne. Oui, c'était ce qu'ils pensaient, comme tous ses amis, comme tous ses ennemis, comme le reste du monde qui avançait sans causer de problèmes à personne, sans obliger sa famille à donner des explications, sans faire passer ses parents pour des gens incapables d'élever leurs enfants correctement. La sœur de Paulo suivait des études d'ingénieur chimiste à l'université et passait pour l'une des élèves les plus brillantes de sa classe, mais elle n'était pas un motif de fierté pour leurs parents : ils étaient plus occupés à tenter d'intégrer leur fils à leur monde.

Finalement, au bout d'un certain temps, il se mit à penser qu'il méritait exactement ce qui lui arrivait. Certains de ses amis, entrés dans la lutte armée, savaient ce qui les attendait. Lui, il payait simplement les conséquences de ses actes : cela devait être une punition du ciel, pas des hommes. Pour tous les chagrins qu'il avait causés, il méritait d'être nu à même le sol d'une cellule dont un mur était troué de trois impacts de balle (il les avait comptés), à regarder en lui sans y trouver aucune force, aucun réconfort spirituel, aucune voix pour lui parler

– contrairement à ce qui s'était produit à la Porte du Soleil.

Et il passait son temps à dormir. Sans cesser de penser qu'il allait se réveiller d'un cauchemar, et se réveillant toujours au même endroit, sur le même sol. Sans cesser de se dire que le pire était passé, et se réveillant toujours en sueur, terrorisé chaque fois qu'il entendait toquer à la porte – peut-être n'avaient-ils rien trouvé de ce qu'il avait raconté et la torture reprendrait, encore plus violente.

Quelqu'un frappa à la porte. Paulo venait de finir de dîner, mais il savait qu'on allait peut-être lui servir à présent le petit déjeuner, pour le désorienter encore plus. Il enfila la cagoule, il entendit la porte s'ouvrir et quelqu'un jeter un paquet à terre.

« Habille-toi. Et fais attention à la cagoule. »

C'était la voix du « gentil policier » – ou du « gentil bourreau » –, comme il préférait l'appeler en son for intérieur. Il attendit que Paulo soit habillé et chaussé. Puis il le prit par le bras en lui recommandant de prendre garde à la barre du seuil de la porte. Il éprouvait sans doute le besoin de dire quelque chose d'aimable, car Paulo l'avait franchie des dizaines de fois pour aller aux sanitaires. Puis il lui rappela qu'il était le seul responsable des marques qu'il avait sur le corps.

Ils marchèrent environ trois minutes et une autre voix déclara : « La Variant attend dans la cour. »

La variante ? Paulo comprit plus tard qu'il s'agissait d'un modèle de voiture, mais sur le moment il crut à un code secret, du genre « Le peloton d'exécution est prêt ».

On l'emmena jusqu'au véhicule où on lui passa un stylo et un papier sous la cagoule. Il ne comptait même pas le lire, il était prêt à signer tout ce qu'on voulait, n'importe quel aveu qui mettrait fin à cet isolement aliénant. Mais le « gentil bourreau » lui expliqua que c'était la liste de ses affaires trouvées à l'hôtel. Les sacs étaient dans le coffre.

Les sacs ! Au pluriel. Il était si engourdi qu'il ne le remarqua pas tout de suite.

Il obéit. La porte opposée s'ouvrit. Paulo épia par la fente de la cagoule et reconnu les vêtements : c'était elle ! On lui demanda aussi de parapher un papier mais elle refusa, elle voulait d'abord lire ce qui était écrit. Le ton de sa voix montrait qu'elle n'avait paniqué à aucun moment, qu'elle avait gardé le contrôle de ses émotions. Le type accéda servilement à sa demande. Après avoir lu et finalement signé, elle posa sa main sur celle de Paulo.

« Aucun contact physique n'est autorisé », lança le « gentil bourreau ».

Elle ignora ses paroles, et l'espace d'un instant Paulo redouta qu'on les reconduise à l'intérieur pour les punir de ne pas avoir obéi. Il tenta de retirer sa main, qu'elle serra plus fort pour l'en empêcher.

Le « gentil bourreau » se contenta de fermer la portière et donna le signal du départ. Lorsque Paulo demanda à sa petite amie comment elle allait, elle répondit par une diatribe contre tout ce qui s'était passé. Sur la banquette avant quelqu'un émit un rire, il la supplia de se taire *pour l'amour de Dieu*, ils pourraient en parler en tête à tête plus tard ou un autre jour, ou bien là où on les emmenait, peut-être dans une vraie prison.

« On ne nous aurait pas fait signer un papier attestant que nos affaires nous ont été rendues si ce n'était pas pour nous libérer », rétorqua-t-elle.

Il y eut un nouveau rire à l'avant – deux, en réalité. Le chauffeur n'était pas seul.

« J'ai toujours entendu dire que les femmes sont plus courageuses et plus intelligentes que les hommes, a commenté l'un des deux. On l'a bien vu avec ces deux-là. »

Mais l'autre lui intima de se taire. La voiture roula un certain temps, puis s'arrêta. Celui qui occupait le siège passager leur demanda alors d'enlever leurs cagoules.

C'était l'un des hommes qui avaient accosté le couple à l'hôtel, un Asiatique, à présent tout sourire. Il descendit avec eux, alla ouvrir le coffre, en sortit les sacs et les leur tendit, au lieu de les jeter par terre.

« Vous pouvez y aller. Prenez à gauche au prochain carrefour, marchez environ vingt minutes et vous tomberez sur la gare routière. »

Il retourna à la voiture, qui démarra sans hâte, comme si tout ce qui venait d'arriver était anodin. C'était la nouvelle réalité du Brésil : ils étaient au pouvoir et personne ne pourrait jamais se plaindre à voix haute.

Paulo et sa petite amie se dévisagèrent, avant de se jeter dans les bras l'un de l'autre et de s'embrasser longuement. Puis ils se mirent en route pour la gare. Pour lui, il était dangereux de rester là. Mais elle n'avait pas l'air d'avoir changé du tout, comme si ces jours – ces semaines, ces mois, ces années ? – n'étaient qu'une interruption dans un voyage de rêve, que les souvenirs positifs l'emportaient et ne pouvaient être ternis par cet incident. Il pressa le pas pour éviter de lui dire que c'était sa faute, qu'ils n'auraient pas dû s'arrêter à Vila Velha pour voir des sculptures façonnées par le vent, que s'ils avaient poursuivi leur chemin, rien de tout ça ne serait arrivé, mais elle n'était pas responsable, ni lui, ni personne de leur entourage d'ailleurs.

Ce qu'il pouvait être ridicule et faible ! Mais tout à coup il éprouva un violent mal de tête, si intense qu'il l'empêchait presque de marcher, de se réfugier dans sa ville natale, ou de retourner à la Porte du Soleil pour demander aux anciens habitants, oubliés, de l'aider à comprendre. Il s'appuya au mur et laissa son sac glisser à terre.

« Tu sais ce qu'il t'arrive ? demanda-t-elle avant de répondre elle-même. Je le sais parce que je l'ai vécu à l'époque des bombardements dans mon pays. Pendant tout le temps que tu as passé là-bas, ton activité cérébrale s'est réduite, le sang n'a pas irrigué ton corps comme d'habitude. Ça va te passer d'ici deux ou trois heures, mais quand même on achètera des aspirines à la gare. »

Elle attrapa son sac, prit Paulo contre elle et le força à marcher, lentement d'abord, puis plus vite.

Ah quelle femme, quelle femme ! Quelle peine il éprouva le jour où il lui proposa de partir pour les deux centres du monde – Piccadilly Circus et le Dam – et qu'elle répondit qu'elle était fatiguée de voyager et que, pour être honnête, elle ne l'aimait plus... Chacun devait suivre son propre chemin.

Le train s'arrêta et la pancarte écrite en plusieurs langues, si redoutée, apparut par le côté : DOUANE.

Quelques policiers montèrent et se mirent à inspecter les wagons. Paulo s'était calmé, sa séance d'exorcisme terminée. Mais une phrase de la Bible, plus exactement du livre de Job, s'était fichée dans sa tête :

« Ce que je redoute m'arrive. »

Il fallait qu'il se maîtrise, car n'importe qui peut flairer la peur.

Bon. Si son camarade avait dit vrai, le seul risque qu'ils couraient était de se faire refouler, ce qui n'était pas un problème en soi. Il y avait d'autres endroits où passer la frontière. Et si les portes des Pays-Bas ne s'ouvraient nulle part, il restait toujours l'autre centre du monde : Piccadilly Circus.

Il éprouvait un immense calme après avoir revécu l'horreur qui lui était tombée dessus un an et demi plus tôt. Comme s'il fallait tout affronter sans peur, envisager les choses comme de simples faits de la vie :

nous ne choisissons pas ce qui nous arrive, mais nous pouvons choisir notre façon d'y réagir.

Et il se rendait compte que jusqu'à présent le cancer de l'injustice, du désespoir, de l'impuissance, avait commencé à développer des métastases dans tout son corps astral. Mais maintenant il était libre.

Et ça recommençait.

Les douaniers entrèrent dans le compartiment qu'il occupait avec l'Argentin et quatre inconnus. Comme il s'y attendait, ils leur demandèrent à tous deux de descendre. Dehors il faisait un peu froid, bien que la nuit ne soit pas encore totalement tombée.

Mais la nature observe un cycle qui se reflète dans l'âme de l'être humain : la plante produit la fleur pour attirer les abeilles grâce auxquelles naîtra un fruit. Le fruit produit des graines, qui à leur tour deviennent des plantes, qui à nouveau font éclore des fleurs, qui attirent des abeilles, qui fertilisent la plante qui produira ainsi des fruits et ainsi de suite jusqu'à la fin de l'éternité. Automne, sois le bienvenu : le moment arrive de laisser partir l'ancien, et les terreurs du passé, pour permettre au renouveau d'apparaître.

Une dizaine de jeunes gens furent emmenés à l'intérieur du poste de douane. Personne ne disait mot et Paulo se tint le plus loin possible de son compagnon, qui le remarqua et n'essaya pas de lui imposer sa présence, ni sa conversation. Sur le moment, il dut penser que ce jeune Brésilien le jugeait, qu'il se méfiait de lui, mais il avait aussi vu son visage s'assombrir terriblement puis briller à nouveau – « briller » était exagéré, mais au moins son intense tristesse d'il y a peu avait-elle disparu.

*

Ils étaient appelés un par un dans une salle, et personne ne savait ce qu'il s'y disait car la sortie s'effectuait par une autre porte. Paulo fut le troisième à être convoqué.

Un douanier en uniforme, assis derrière une table, lui demanda son passeport et se mit à feuilleter un grand classeur rempli de noms.

« Un de mes rêves, c'est de connaître… », tenta Paulo, mais l'autre lui fit signe de ne pas l'interrompre.

Son cœur battit plus vite et il s'efforça de lutter contre lui-même, de croire que l'automne était arrivé, que les feuilles mortes avaient commencé à tomber, qu'un nouvel homme surgissait peu à peu de ce qui n'avait été, jusqu'alors, qu'un chiffon d'émotions.

Les vibrations négatives attirent d'autres vibrations négatives, aussi tenta-t-il de se calmer, surtout après avoir remarqué que le douanier portait une boucle d'oreille, chose impensable dans les pays qu'il avait traversés. Il essaya de se distraire en se concentrant sur la salle pleine de papiers, sur une photo de la reine et sur une affiche représentant un moulin à vent. L'homme abandonna rapidement sa liste et lui demanda non pas ce qu'il venait faire aux Pays-Bas, mais s'il avait l'argent nécessaire pour rentrer chez lui.

Paulo répondit par l'affirmative. Il savait depuis longtemps que le billet retour était la principale condition pour pouvoir voyager en terre étrangère, aussi en avait-il acheté un hors de prix au départ de Rome, la ville où il avait débarqué en Europe, bien que la date de retour soit pour dans un an. Il porta la main à la pochette qu'il gardait cachée dans sa ceinture, disposé à prouver ses dires, mais le fonctionnaire lui expliqua que ce n'était pas nécessaire, qu'il voulait juste savoir combien d'argent il avait.

« Dans les 1 600 dollars. Un peu plus peut-être, je ne sais pas combien j'ai dépensé dans le train. »

Il avait débarqué en Europe avec 1 700 dollars sur lui, qu'il avait gagnés en donnant des cours préparatoires à l'école de théâtre qu'il fréquentait. Le billet le moins cher était pour Rome. À son arrivée, il avait appris par le « Courrier Invisible » que les hippies se réunissaient toujours sur la place d'Espagne. Il avait trouvé un endroit où dormir dans un jardin public, s'était nourri de sandwichs et de glaces et aurait pu tout aussi bien rester dans la capitale italienne, où il avait rencontré une Galicienne avec qui il avait aussitôt sympathisé, avant de devenir son petit ami. Il avait fini par acheter le grand best-seller à la mode, qui allait sans aucun doute changer sa vie : *L'Europe à cinq dollars par jour*. Les journées passées sur la place d'Espagne lui apprirent que non seulement les hippies, mais aussi les gens conventionnels, les « bourges » comme on disait, utilisaient cet ouvrage qui, outre les sites touristiques importants, listait les hôtels et les restaurants les moins chers de chaque ville.

Grâce à ce livre, il ne serait pas complètement perdu en arrivant à Amsterdam. Quand la Galicienne lui annonça qu'elle partait pour Athènes, en Grèce, il décida de se mettre en route pour sa première destination, la seconde étant Piccadilly Circus, comme il n'avait de cesse de se le rabâcher.

*

Il fit à nouveau mine de montrer son argent, mais le douanier tamponna son passeport et le lui rendit, avant de lui demander s'il avait des fruits ou des végétaux sur lui. Paulo avait deux pommes dans son sac, que l'autre lui demanda de jeter dans une poubelle à côté de la gare, en sortant.

« Et maintenant, comment je fais pour aller à Amsterdam ? »

On l'informa qu'il devrait prendre un train régional, qui passait là toutes les demi-heures. Son billet acheté à Rome était valable jusqu'à sa destination finale.

Sur l'indication du fonctionnaire, Paulo sortit par une autre porte, retrouva l'air libre et entreprit d'attendre le prochain train, à la fois surpris et content qu'on l'ait cru sur parole.

Vraiment, il entrait dans un autre monde.

Karla n'avait pas perdu son après-midi à attendre au Dam : comme il s'était mis à pleuvoir et que la voyante lui avait garanti l'arrivée de la personne tant attendue pour le lendemain, elle était allée au cinéma voir *2001 : l'odyssée de l'espace*. Elle n'était pas adepte des films de science-fiction, mais de l'avis général c'était un vrai chef-d'œuvre.

Et c'était le cas. Non seulement ce film l'avait aidée à tuer le temps, mais la fin démontrait ce qu'elle pensait savoir : le temps est circulaire et revient toujours au même point. La question n'est pas d'y croire ou pas, puisqu'il s'agit d'une réalité absolue et incontestable. Nous sommes nés d'une graine, nous grandissons, vieillissons, mourons, retournons à la terre et redevenons une graine qui, tôt ou tard, se réincarnera en une autre personne. Bien qu'issue d'une famille luthérienne, elle avait un temps flirté avec le catholicisme et récitait le *Credo* chaque fois qu'elle allait à la messe. Son passage préféré était le suivant :

« Je crois [...] à la résurrection de la chair et à la vie éternelle.

Amen. »

La résurrection de la chair : elle avait une fois tenté d'évoquer ce passage avec un prêtre, de l'interroger sur la réincarnation, mais il avait affirmé qu'il était question d'autre chose. De quoi ? avait-elle demandé. La réponse lui avait paru le comble de l'idiotie : elle n'était pas assez mûre pour comprendre. C'est en constatant que le prêtre non plus ne savait pas de quoi cette phrase traitait qu'elle avait pris ses distances avec le catholicisme.

Amen, répétait-elle à présent en regagnant l'hôtel. Elle restait aux aguets, au cas où Dieu déciderait de lui parler. Après s'être éloignée de l'Église, elle s'était mise à chercher une forme de réponse au sens de la vie dans l'hindouisme, le taoïsme, le bouddhisme, les cultes africains, les différents types de yoga. Le poète Kabîr avait dit bien des siècles plus tôt :

« *Ta lumière emplit l'Univers ; elle est la lampe d'amour qui brûle sur le plateau de la connaissance.* »

Comme l'amour était si compliqué pour elle, à tel point qu'elle avait toujours évité d'y penser, elle avait fini par conclure que la Connaissance se trouvait en elle, ce que prêchaient d'ailleurs les fondateurs de ces religions. Désormais, tout ce qu'elle voyait lui rappelait la Divinité, et elle s'efforçait de manifester jusque dans ses moindres gestes sa gratitude d'être en vie.

Cela lui suffisait : le pire des crimes est celui qui finit par tuer sa propre joie de vivre.

*

Elle entra dans un *coffee-shop*, non pas pour y acheter de la marijuana ou du haschisch, mais simplement pour boire un café avec la serveuse, Wilma, qui était elle aussi néerlandaise et avait l'air déphasé. Elles décidèrent d'aller au Paradiso, puis changèrent d'avis, peut-être parce que l'endroit avait perdu l'attrait de la nouveauté, comme les drogues vendues dans le café où Wilma travaillait. C'était bien beau pour les touristes, mais sans intérêt pour ceux qui les avaient toujours eues à portée de main.

Un jour – un jour dans un futur lointain – les gouvernements en viendraient à la conclusion que la meilleure solution à ce qu'ils appelaient un « problème » serait de légaliser. Une grande partie de la mystique du haschisch résidait dans son caractère interdit, et donc convoité.

« Mais ça n'intéresse personne, répondit Wilma. Ils gagnent des millions avec la répression. Ils se croient supérieurs. Ils se prennent pour les sauveurs de la société et de la famille. En finir avec les drogues, c'est une excellente promesse de campagne. Par quelle idée veux-tu qu'ils la remplacent ? Ah oui, en finir avec la pauvreté, mais ça plus personne n'y croit. »

Elles se turent et restèrent un moment à fixer leurs tasses. Karla pensait au film, au *Seigneur des anneaux* et à sa vie. Elle n'avait jamais rien vécu de vraiment intéressant. Elle était née dans une famille puritaine, avait étudié dans un collège luthérien, appris la Bible par cœur, perdu sa virginité encore adolescente avec un compatriote tout aussi vierge qu'elle, voyagé quelque temps à travers l'Europe, trouvé un travail à vingt ans (elle en avait à présent vingt-trois) ; les journées lui paraissaient longues et répétitives ; elle était devenue catholique notamment pour contrarier sa famille, avait décidé de quitter la maison pour vivre seule, eu une ribambelle de petits copains qui entraient et sortaient de sa vie et de son corps à une fréquence qui allait de deux jours à deux mois, et estimait que tout était la faute de Rotterdam et de ses grues, de ses rues grises, de son port où accostaient des histoires bien plus passionnantes que celles de ses amis.

Elle s'entendait mieux avec les étrangers. Sa routine de liberté absolue n'avait été cassée qu'une fois, lorsqu'elle avait eu la bonne idée de tomber éperdument amoureuse d'un Français de dix ans son aîné. Elle s'était convaincue toute seule qu'elle arriverait à faire de cet amour dévastateur un sentiment partagé, tout en sachant pertinemment que cet homme voulait juste coucher avec elle, une activité dans laquelle elle excellait et cherchait toujours à s'améliorer. Une semaine plus tard, elle l'avait largué à Paris, après avoir conclu qu'elle ne parvenait décidément pas à découvrir le rôle de l'amour dans son existence. Et c'était une souffrance, parce que toutes ses connaissances finissaient tôt ou tard par évoquer l'importance de se marier, d'avoir des enfants, de cuisiner de bons petits plats, d'avoir un compagnon ou une compagne avec qui regarder la télévision, aller au théâtre, voyager dans le monde entier, à qui apporter de petits cadeaux surprises en rentrant à la maison, à qui cacher qu'on a découvert ses petites trahisons. Quelqu'un avec qui fonder une famille, pour finalement proclamer que les enfants sont la seule raison de vivre, s'inquiéter de ce qu'ils vont manger, de leur avenir, de leur réussite à l'école, au travail, dans la vie en général.

Autrement dit, de prolonger ainsi pour quelques années leur sensation d'être utile sur cette terre, jusqu'à ce que tôt ou tard les enfants s'en aillent. Alors la maison paraîtrait vide et la seule chose réellement importante deviendrait le déjeuner du dimanche, et la famille réunie, dont les membres feindraient d'aller toujours bien, de ne connaître aucune jalousie ou compétition entre eux, quand bien même ils se lançaient des poignards invisibles dans l'air, parce que moi je gagne plus que toi, parce que ma femme est diplômée en architecture, parce que nous venons d'acheter une maison dont vous n'avez même pas idée, et ainsi de suite.

Deux ans auparavant, elle avait conclu que continuer à vivre dans cette liberté absolue n'avait plus de sens. Elle avait commencé à penser à la mort, puis songé à entrer dans un couvent, allant jusqu'à rendre visite à des Carmélites qui vivaient pieds nus, et totalement cloîtrées. Elle avait prétendu être baptisée, avoir découvert le Christ et vouloir être sa Fiancée pour le restant de ses jours. À la demande de la mère supérieure, elle avait pris un mois de réflexion pour confirmer sa décision, et pendant ce mois-là elle avait pu à loisir s'imaginer dans une cellule, obligée de prier du matin jusqu'au soir, de répéter les mêmes mots jusqu'à ce qu'ils soient vidés de leur sens. Elle avait compris qu'elle était incapable de mener une vie où la routine risquait de la mener à la folie. La mère supérieure avait raison. Elle n'y retourna jamais. Son quotidien d'absolue liberté avait beau être dur, elle aurait toujours des nouveautés plus intéressantes à découvrir et à faire.

Un marin de Bombay, en plus d'être un excellent amant – ceux-ci étaient plutôt rares – l'initia au mysticisme oriental. Elle se mit alors à penser que son destin, dans cette vie-là, était de partir très très loin, de vivre dans une grotte en Himalaya, en espérant que les dieux viendraient lui parler tôt ou tard, de s'éloigner de son environnement actuel qu'elle trouvait d'un ennui mortel.

Sans rentrer dans les détails, elle demanda à Wilma ce qu'elle pensait d'Amsterdam.

« Ennuyeux à mourir. »

Exactement. Pas seulement Amsterdam, mais les Pays-Bas, où l'on naissait sous la protection du gouvernement et où, grâce aux hospices, aux pensions de réversion et à la sécurité sociale gratuite ou presque, on vivait sans avoir à redouter une vieillesse démunie. Et où les rois les plus récents étaient depuis deux générations des reines : la reine mère Wilhelmine et la reine actuelle Juliana, qui laisserait la place à la princesse héritière Beatrix. Pendant qu'aux États-Unis les femmes réclamaient l'égalité et brûlaient leurs soutiens-gorge, Karla – qui n'en portait jamais malgré son joli tour de poitrine – vivait dans un endroit où cette égalité était déjà conquise depuis longtemps, sans bruit, sans exhibitionnisme, grâce à la logique ancestrale selon laquelle le pouvoir appartient aux femmes : en réalité ce sont elles qui gouvernent leurs maris et leurs fils, leurs présidents et leurs rois, qui de leur côté s'efforcent de donner le change en se faisant passer pour d'excellents généraux, chefs d'État, patrons d'entreprise.

Les hommes... Ils pensent gouverner le monde et ne bougent pas le petit doigt sans demander leur avis, le soir venu, à leur compagne, leur maîtresse, leur petite amie ou leur mère...

Karla avait besoin de franchir le pas, de découvrir une contrée intérieure ou extérieure qui n'avait encore jamais été explorée, de sortir de cet ennui mortel qui semblait pomper son énergie de jour en jour.

Elle espérait que la cartomancienne avait dit vrai. Si la personne promise ne se montrait pas le lendemain elle partirait quand même pour le Népal, seule, au risque de terminer comme une « esclave blanche », vendue à un sultan grassouillet dans un pays où les harems existaient toujours, même si elle doutait sérieusement que quiconque ose enlever une Néerlandaise capable de se défendre mieux qu'un homme au regard menaçant et au sabre tranchant.

Elle prit congé de Wilma, qu'elle devait retrouver le lendemain au Paradiso, et se dirigea vers le dortoir où elle passait ses nuits monotones à Amsterdam, cette ville dont tant de gens rêvaient au point de traverser le monde pour y parvenir. Elle marcha dans les ruelles sans trottoirs, l'oreille toujours tendue au moindre signe – elle ignorait lequel au juste, mais les signes sont ainsi, surprenants et cachés dans le quotidien. La bruine qui picotait son visage la ramena à la réalité, non pas à celle qui l'environnait, mais au fait d'être vivante, de marcher en toute sécurité dans des venelles obscures alors qu'elle croisait des trafiquants venus du Surinam pour opérer ici dans l'ombre. Ceux-là étaient un vrai danger pour les consommateurs, oui, parce qu'ils offraient les drogues du Diable : la cocaïne et l'héroïne.

Elle traversa encore une place. On aurait dit que dans cette ville, à l'inverse de Rotterdam, il y avait une place à tous les coins de rue. La pluie s'intensifia et elle se sentit pleine de gratitude d'avoir la force de sourire malgré les sombres pensées qui s'étaient emparées d'elle au *coffee-shop*.

Elle marchait en silence tout en priant, sans paroles luthériennes ni catholiques, remerciant la vie dont elle se plaignait quelques heures plus tôt, adorant les cieux et la terre, les arbres et les animaux dont la simple vue résolvait les contradictions de son âme et enveloppait tout d'une paix profonde – non pas de cette paix d'absence de défis, mais de celle qui la préparait à une aventure qu'elle avait décidé de vivre, avec ou sans compagnon de route.

Elle savait que les anges l'accompagnaient et lui chantaient des mélodies inaudibles, qui cependant la faisaient vibrer et lavaient son cerveau des pensées impures, lui permettant de se reconnecter à son âme et de lui dire : « Je t'aime, même si je n'ai pas encore connu l'Amour. Je ne m'en veux pas d'avoir eu ces pensées négatives tout à l'heure, peut-être à cause du film que je viens de voir, ou du livre que je lis… Et même si c'est seulement dû à mon caractère et à mon incapacité à voir la beauté qui existe en moi, je te demande pardon, je t'aime, et je te remercie de m'accompagner, toi qui me bénis de ta présence et me délivres de la tentation des plaisirs et de la peur de la douleur. »

Pour changer, elle commença à se sentir coupable d'être qui elle était, d'habiter le pays où se trouve la plus grande concentration de musées au monde, de traverser à ce moment précis l'un des mille deux cent quatre-vingt-un ponts de la ville, d'avoir sous les yeux ces maisons aux trois fenêtres horizontales – en avoir davantage était considéré comme de l'ostentation et une tentative d'humilier le voisin –, d'être fière des lois qui gouvernaient son peuple et des navigateurs qu'ils avaient été autrefois, même si l'Histoire avait surtout retenu les Espagnols et les Portugais.

Au cours de leur histoire, ils n'avaient fait qu'une mauvaise affaire : échanger l'île de Manhattan avec les Anglais. Mais personne n'est parfait.

Le gardien de nuit lui ouvrit la porte du dortoir, elle entra le plus discrètement possible et songea, avant de s'endormir, à la seule chose que son pays n'avait pas.

Des montagnes.

Oui, elle partirait vers les montagnes, loin de ces plaines immenses conquises sur la mer par des hommes déterminés, qui étaient parvenus à maîtriser la nature indomptable.

*

Elle prit la décision de se lever plus tôt. Elle était déjà habillée et prête à sortir à 11 heures du matin, alors que son heure habituelle était plutôt 1 heure de l'après-midi. C'était ce jour-là qu'elle devait rencontrer le compagnon qu'elle attendait, d'après la voyante. Or celle-ci ne pouvait pas se tromper : toutes deux étaient entrées dans une transe mystérieuse, hors de contrôle – comme la plupart des transes, d'ailleurs. Les mots qu'avaient prononcés Layla n'étaient pas sortis de sa bouche, mais d'une âme plus grande, qui occupait tout l'espace de son cabinet.

Il n'y avait pas encore grand monde sur le Dam, qui s'animait peu à peu à partir de midi. Mais elle remarqua – enfin ! – un visage nouveau. Des cheveux normaux, une veste sans trop de motifs appliqués (le plus gros était un drapeau assorti du mot *Brésil*) et un sac bariolé en bandoulière, probablement tricoté en Amérique du Sud : ces sacs, avec les ponchos et les bonnets péruviens, étaient très prisés des jeunes qui parcouraient le monde. Il fumait une cigarette, une cigarette normale, comme elle put le vérifier en passant près de lui sans détecter d'autre odeur que celle du tabac.

Il était très occupé à ne rien faire, à contempler l'immeuble de l'autre côté de la place et les hippies autour. Il avait probablement envie de parler à quelqu'un, mais son regard révélait de la timidité, une timidité excessive.

Elle s'assit à une distance raisonnable, de façon à le surveiller et à ne pas le laisser partir sans avoir essayé de lui proposer un voyage au Népal. S'il avait déjà parcouru le Brésil et l'Amérique du Sud, comme l'indiquaient sa veste et son sac, peut-être aurait-il envie d'aller plus loin ? Il semblait avoir à peu près son âge et peu d'expérience, il ne serait sûrement pas difficile à convaincre. Peu lui importait qu'il soit beau ou laid, gros ou maigre, petit ou grand. La seule chose qui l'intéressait, c'était de trouver un compagnon de route pour son aventure personnelle.

Paulo avait remarqué la belle hippie qui était passée près de lui, et il aurait peut-être osé lui sourire s'il n'avait été tétanisé par sa timidité. Mais il n'en eut pas le courage : elle paraissait distante, peut-être attendait-elle quelqu'un ou voulait-elle simplement contempler le matin grisâtre, mais dépourvu de toute menace de pluie.

Il reporta son attention sur l'édifice d'en face, une véritable merveille d'architecture, que *L'Europe à cinq dollars par jour* décrivait comme un palace royal, construit sur 13 659 pilotis. Toujours selon ce guide, la ville entière était construite sur pilotis, bien que personne ne s'en aperçoive réellement. Il n'y avait aucun garde à l'entrée et les touristes entraient et sortaient par paquets, à la queue leu leu. C'était le genre d'endroit qu'il n'irait jamais visiter.

On sent toujours quand on est observé, et Paulo savait bien que la belle hippie, assise hors de son champ de vision, avait les yeux rivés sur lui. Il put le vérifier en tournant la tête, mais elle se mit à lire au moment où leurs regards se croisèrent.

Que faire ? Pendant près d'une demi-heure, il se répéta qu'il devait se lever et aller s'asseoir à côté d'elle : c'était courant à Amsterdam, où on se rencontrait sans avoir à s'excuser ni à donner d'explications, par simple envie de discuter et d'évoquer ses expériences. Après s'être convaincu qu'il n'avait absolument rien à perdre, que ce ne serait ni la première ni la dernière fois qu'il se ferait jeter, il se leva pour aller vers elle. Elle resta plongée dans son livre.

Karla vit qu'il s'approchait – ce qui était rare, car aux Pays-Bas chacun respectait l'espace d'autrui. Il s'assit à côté d'elle et prononça le mot le plus absurde qui soit dans une telle situation :

« Pardon. »

Elle lui jeta un coup d'œil furtif, attendant le reste, qui ne vint pas. Cinq minutes gênées s'écoulèrent avant qu'elle ne décide de prendre l'initiative.

« Pardon de quoi, au juste ?

— De rien. »

Cependant, à sa plus grande joie, il évita les sempiternelles idioties : « J'espère que je ne te dérange pas ? », ou « C'est quoi cet immeuble en face ? », ou « Que tu es belle ! » (les étrangers adoraient cette phrase), ou bien « De quel pays viens-tu ? », ou encore « Où as-tu acheté ces fringues ? », et ainsi de suite.

Elle décida de forcer un peu les choses, vu qu'elle s'intéressait bien plus à lui qu'il ne pouvait l'imaginer.

« Pourquoi le drapeau du Brésil sur ta manche ?

— Je suis brésilien. Je ne connais personne ici, alors si je croise d'autres Brésiliens ils pourront m'aider à rencontrer des gens intéressants. »

Alors ce garçon, à l'air intelligent, aux yeux noirs brillant d'une énergie intense et d'une fatigue plus intense encore, avait traversé l'Atlantique pour rencontrer des compatriotes hors de son pays ?

C'était le comble de l'absurde, mais elle choisit de lui accorder un peu de crédit. Elle pouvait aborder le sujet du Népal tout de suite et poursuivre leur conversation, ou bien le planter là et changer de place sur le Dam, en prétextant un rendez-vous ou tout simplement sans explication.

Mais elle choisit de ne pas bouger, de rester assise à côté de Paulo – c'était son nom. Et cette décision allait totalement changer le cours de sa vie.

Il en est ainsi des histoires d'amour – même si sur le moment elle était loin de penser à ce mot secret et à ses dangers. Ils étaient ensemble, la voyante avait dit juste, le monde intérieur et le monde extérieur se rencontraient à toute vitesse. Il éprouvait peut-être la même sensation, mais visiblement il était trop timide. Ou peut-être voulait-il juste de la compagnie pour fumer un joint. Ou bien, encore pire, il ne voyait en elle qu'une potentielle partenaire avec qui se rouler dans l'herbe du Vondelpark et qu'il laisserait tomber après l'orgasme, comme si rien ne s'était passé.

Comment déterminer la nature d'un être en quelques minutes seulement ? Bien sûr, nous sentons si quelqu'un nous inspire de la répulsion, et nous

nous éloignons au plus vite, mais là ce n'était pas du tout le cas. Il était maigre comme un clou, mais ses cheveux paraissaient bien soignés. Il avait dû prendre un bain le matin même, il sentait encore le savon.

À l'instant où il s'était assis à côté d'elle et avait prononcé l'absurde mot « pardon », Karla avait éprouvé un immense bien-être, comme si elle n'était déjà plus seule. Elle était avec lui, il était avec elle et ils le savaient tous les deux, même s'ils ne s'étaient rien dit et ignoraient ce qui se passait au juste. Les sentiments cachés, non verbalisés, étaient déjà présents, ils attendaient simplement leur heure pour se manifester. Karla et Paulo étaient en train de vivre ce moment où bien des relations qui auraient pu se terminer en grand amour se terminaient tout court – soit parce que les âmes, en se rencontrant sur terre, savent déjà vers où elles s'acheminent ensemble et en sont effrayées, soit parce que nous sommes si conditionnés à chercher toujours « mieux » que nous ne leur laissons pas le temps de se connaître, et nous perdons la chance de notre vie.

Karla laissait son âme se manifester. Parfois les paroles de l'âme nous induisent en erreur, parce que l'âme ne nous est pas toujours très fidèle, elle accepte des situations qui ne nous correspondent en rien, elle tente de plaire au cerveau et ignore ce vers quoi elle tend chaque jour davantage : la Connaissance. Le Moi visible, que l'on croit être soi, n'est qu'un espace limité, étranger au véritable Moi. C'est pourquoi tant de gens ont du mal à écouter ce que l'âme leur murmure : ils tentent de la contrôler pour qu'elle suive exactement ce qu'ils planifient, leurs désirs, leurs espoirs, leur avenir, leur envie d'annoncer aux amis « J'ai enfin rencontré l'amour de ma vie », leur peur de finir seul dans un hospice.

Karla ne se laissait plus induire en erreur. Ignorant ce qu'elle ressentait au juste, elle s'efforça de lâcher prise, sans plus amples explications ou justifications. Elle savait qu'elle devait, enfin, lever le voile qui recouvrait son cœur, mais elle ignorait encore comment et quand elle le découvrirait. En tout cas pas maintenant, pas si vite. L'idéal était de tenir Paulo à une distance de sécurité jusqu'à discerner comment ils allaient s'entendre dans les prochaines heures, ou journées, ou années – non, elle ne pensait pas en années, parce que son destin était une grotte à Katmandou, où elle serait toute seule, en contact avec l'Univers.

Quant à Paulo, son âme ne s'était pas encore révélée à lui et il ne pouvait deviner si cette fille allait disparaître d'un instant à l'autre. Il ne savait plus quoi dire, et elle gardait le silence, un silence qu'ils acceptaient tous deux. Ils regardaient droit devant eux, les yeux perdus dans le vague, les émotions dans une autre dimension, tandis que les passants se dirigeaient vers les snacks et les restaurants et que les tramways circulaient, bondés.

« Tu veux déjeuner ? »

Paulo prit sa question pour une invitation, qui le surprit et le ravit. Il n'arrivait pas à comprendre qu'une fille aussi jolie lui propose de déjeuner avec elle. Son séjour à Amsterdam commençait plutôt bien.

Il n'avait rien imaginé à l'avance. Or, quand les choses se produisent de façon imprévue ou inespérée, elles n'en sont que plus agréables et profitables. En outre, parler avec une inconnue sans la moindre arrière-pensée romantique rendait l'échange plus fluide et naturel.

Était-elle seule ? Pendant combien de temps lui accorderait-elle de l'attention ? Que devait-il faire pour la garder près de lui ?

Rien. Ce flot de questions idiotes s'évanouit dans l'espace et bien qu'il ait mangé peu avant, il répondit par l'affirmative. Il espérait juste qu'elle n'allait pas choisir un restaurant trop cher, car il devait tenir une année avec ses économies, jusqu'à la date de son billet retour.

Pèlerin, tu es distrait ; calme-toi.
Parce que tous les appelés ne seront pas élus.
Il n'est pas donné à tout le monde de dormir le
sourire aux lèvres
Et de voir ce que tu vois.

Bien sûr, nous devons partager. Même les informations que nous possédons tous. Nous devons à tout prix nous garder de céder à la volonté égoïste d'arriver seul à la fin du voyage, sous peine de découvrir un paradis vide, sans aucun intérêt, et de mourir bientôt d'ennui.

Il ne faut pas nous emparer des torches qui éclairent notre chemin et les emporter avec nous : en agissant de la sorte, nous remplirions nos sacs de lanternes, mais toute cette lumière emmagasinée ne saurait remplacer la compagnie dont nous manquons. Alors, à quoi cela nous avancerait-il ?

Mais Paulo avait du mal à rester calme. Il éprouvait le besoin de graver dans sa mémoire tout ce qu'il découvrait : une révolution sans armes, une route sans contrôle de passeport ni virage dangereux. Un monde qui tout à coup était devenu jeune, indépendamment de l'âge des gens et de leurs convictions politiques ou religieuses. Le soleil avait surgi, comme pour dire qu'enfin la Renaissance approchait, changeant les us et coutumes de tous. Et un beau jour, dans un futur très proche, on ne dépendrait plus de l'opinion des autres mais uniquement de sa propre façon de voir la vie.

Des gens vêtus d'orange qui dansaient et chantaient dans les rues, des vêtements multicolores, une fille qui distribuait des roses aux passants, des sourires sur toutes les lèvres… Oui, demain serait meilleur, malgré tout ce qui se passait en Amérique latine et ailleurs dans le monde. Demain serait meilleur simplement parce qu'il n'y avait pas le choix, on ne pourrait revenir au passé et laisser le moralisme, l'hypocrisie et le mensonge reprendre possession des jours et des nuits des habitants de cette Terre. Il se rappelait sa séance d'exorcisme dans le train et les milliers de critiques qu'il recevait en permanence de tous, proches comme inconnus. Il se rappelait la douleur de ses parents et avait envie de leur téléphoner sur-le-champ pour leur dire :

« Ne vous inquiétez pas, je vais bien et vous comprendrez bientôt que je ne suis pas né pour aller à l'université, obtenir un diplôme et trouver un travail. Je suis né pour être libre et je peux survivre, j'aurai toujours une activité, je trouverai toujours un moyen de gagner de l'argent, j'aurai toujours la possibilité de me marier et de fonder une famille, mais pas aujourd'hui. Aujourd'hui, c'est le moment de réussir à être juste dans le présent, ici et maintenant, avec la joie des enfants à qui Jésus a destiné le Royaume des Cieux. S'il faut devenir paysan je le ferai sans problème, car cela me permettra d'être en contact avec la terre, le soleil et la pluie. S'il faut m'enfermer dans un bureau je le ferai sans problème, car j'aurai à mes côtés d'autres personnes, et nous finirons par former un groupe, un groupe qui découvrira comme il est bon de s'asseoir autour d'une table et de parler, de prier et de rire à la fin de la journée, pour se laver du travail répétitif. S'il faut rester seul, je resterai seul ; si je tombe amoureux et décide de me marier je me marierai, car je suis certain que mon épouse, l'amour de ma vie, acceptera ma joie comme la plus grande bénédiction qu'un homme peut donner à une femme. »

*

La jeune fille avec qui il allait déjeuner s'arrêta pour acheter des fleurs. Au lieu de les emporter, elle en fit deux petits bouquets et en piqua un dans ses cheveux à lui, puis l'autre dans les siens. Loin de paraître ridicule, ce geste était une façon de célébrer les petites victoires de la vie, comme les Grecs célébraient il y a plus de deux mille ans leurs vainqueurs, leurs héros et leurs poètes – avec pour tout or des couronnes de laurier, qui étaient éphémères certes, mais légères, et n'exigeaient pas une surveillance constante comme celles des rois et des reines. Paulo et Karla croisaient beaucoup de gens qui portaient ce type d'ornement dans les cheveux, et tout semblait plus beau.

Il y avait des joueurs de flûte, de violon, de guitare, de cithare. Leurs mélodies formaient une bande sonore confuse, mais en harmonie naturelle avec cette rue sans trottoirs, comme la plupart des rues de la ville, et pleine de bicyclettes. Le tempo ralentissait ou s'accélérait, et Paulo craignait que ces accélérations ne l'emportent, entraînant la fin de ce rêve.

Parce qu'à ce moment-là il n'était pas dans une rue, mais dans un songe dont les personnages étaient de chair et d'os, s'exprimaient dans des langues différentes, regardaient la femme à ses côtés et souriaient de sa beauté. Elle leur rendait un sourire et la pointe de jalousie qu'il éprouvait était vite remplacée par la fierté qu'elle l'ait choisi pour compagnon.

On les accostait pour leur vendre de l'encens, des bracelets, des vestes bariolées probablement confectionnées au Pérou ou en Bolivie, et Paulo avait envie de tout acheter parce que ces gens-là restaient souriants face à leurs refus, ne se vexaient pas, n'insistaient pas, contrairement aux vendeurs des boutiques. S'il leur avait acheté une bricole, il leur aurait peut-être permis de passer un jour ou une nuit de plus dans ce paradis, mais au fond il avait la certitude que tous savaient s'en sortir dans ce monde. Il devait dépenser le moins possible et trouver un moyen de vivre dans cette ville jusqu'à ce que son billet d'avion commence à peser trop lourd dans la pochette accrochée à sa ceinture, sous son pantalon, lui indiquant que l'heure était venue de quitter le rêve pour retourner à la réalité.

Cette réalité lui apparaissait d'ailleurs de temps à autre dans ces rues et ces parcs, sur de petites tables surmontées de panneaux montrant les atrocités commises au Vietnam, comme cette photo d'un général exécutant un membre du Viet Cong de sang-froid. Tout ce qu'on demandait aux passants, c'était de signer une pétition, et personne ne s'y refusait.

Il était bien conscient qu'il manquait encore beaucoup de choses pour que la Renaissance s'empare du monde. Mais il était sûr qu'elle commençait, oui elle commençait, et que chacun de ces jeunes, dans cette rue, se rappellerait ce qu'il était en train de vivre à ce moment-là et deviendrait, à son retour dans son pays, un missionnaire de la paix et de l'amour. Car un monde nouveau était possible, un monde enfin libéré de l'oppression, de la haine, des maris qui battent leurs femmes, des tortionnaires qui suspendent les gens la tête en bas et les tuent à petit feu avec...

... Il n'avait pas perdu son sens de la justice et l'injustice qui régnait le scandalisait, mais pour l'instant il avait besoin de se reposer et de reprendre des forces. Il avait gâché une partie de sa jeunesse à mourir de peur, le moment était venu d'affronter la vie et le chemin inconnu sur lequel il s'engageait avec courage.

*

Ils entrèrent dans l'une des dizaines de boutiques qui vendaient des pipes, des foulards colorés, des images orientales, des motifs à appliquer sur les vêtements. Paulo y trouva ce qu'il cherchait : un paquet de petits clous en forme d'étoiles dont il piquerait sa veste en rentrant au dortoir.

Dans l'un des nombreux parcs de la ville, trois filles méditaient torse nu, paupières closes, en posture de yoga, tournées vers un soleil qui se cacherait peut-être bientôt et mettrait deux saisons à revenir, avec le printemps. En traversant les lieux, il prêta attention aux gens plus âgés qui se rendaient au travail ou en revenaient : ils ne se donnaient même pas la peine de regarder les trois filles. Ici la nudité n'était pas punie ou réprimée, chacun était maître de son corps et faisait ce que bon lui semblait.

Et les t-shirts : beaucoup véhiculaient tout un tas de messages, parfois agrémentés de la photo d'une idole – Jimi Hendrix, Jim Morrison, Janis Joplin –, mais la plupart prêchaient la Renaissance :

Aujourd'hui est le premier jour du reste de ta vie.
Un simple rêve est plus puissant que mille réalités.
Chaque rêve a besoin d'un rêveur.

Son attention fut particulièrement attirée par la phrase suivante :
Le rêve est spontané, donc dangereux pour ceux qui n'ont pas le courage de rêver.

C'était ça. C'était ça que le système ne tolérait pas, mais le rêve finirait par l'emporter, avant la défaite des Américains au Vietnam.

Il y croyait. Il avait choisi sa folie et avait à présent l'intention de la vivre intensément, de rester là jusqu'à entendre l'appel qu'on lui adresserait, un appel à agir pour aider à changer le monde. Son rêve était de devenir écrivain, mais il était trop tôt pour l'instant. Et puis il n'était pas sûr que des livres puissent avoir ce pouvoir de changement, mais il ferait de son mieux, pour montrer ce que les autres ne voyaient pas encore.

Il était sûr d'une chose : tout retour en arrière était impossible, il n'existait désormais que le chemin de la lumière.

*

Il rencontra un couple brésilien, Tiago et Tabita, qui remarquèrent son écusson et vinrent se présenter à lui.

« Nous sommes des Enfants de Dieu », lui dirent-ils avant de l'inviter à visiter leur lieu de vie.

Mais tout le monde était un Enfant de Dieu, non ?

Oui, mais eux pratiquaient un culte dont le fondateur avait eu une révélation. N'avait-il pas envie d'en savoir un peu plus ?

« Bien sûr que si », assura Paulo.

Quand Karla le quitterait en fin de journée, il aurait déjà de nouveaux amis.

*

Mais sitôt qu'ils se furent éloignés, Karla saisit l'écusson de sa veste et l'en arracha.

« Tu as trouvé ce que tu cherchais à la boutique. Les étoiles sont bien plus jolies que les drapeaux. Si tu veux, je t'aiderai à les disposer en forme de croix égyptienne ou de *Peace and Love*.

— Tu n'aurais pas dû faire ça. Tu n'avais qu'à me poser la question et me laisser décider si je voulais le garder ou l'enlever. J'aime et je déteste mon pays, mais ça, ça me regarde. Ce n'est pas parce qu'on vient de se rencontrer que je dépends de toi, la seule personne que je connaisse ici. Si tu crois que tu peux me dicter ma conduite et me contrôler, autant nous séparer tout de suite. Je me débrouillerai tout seul pour trouver un restaurant bon marché. »

Sa voix s'était durcie et Karla, surprise, jugea sa réaction positive. Ce n'était pas un idiot qui se laissait mener par le bout du nez, quand bien même il était dans une ville étrangère. Il avait déjà dû vivre un paquet de choses.

Elle lui rendit l'écusson.

« Alors mets-le ailleurs. C'est impoli de parler dans une langue que je ne comprends pas et c'est un manque d'imagination d'être venu si loin pour lier connaissance avec des gens que tu pourrais rencontrer chez toi. Si tu te remets à parler portugais, je parlerai néerlandais et je crois que le dialogue ne sera plus possible. »

*

Le restaurant n'était pas bon marché : il était GRATUIT, ce mot magique qui en général rend tout plus savoureux.

« Qui paye tout ça ? Le gouvernement ?

— Le gouvernement néerlandais ne permet pas que ses citoyens connaissent la faim. Mais là, en l'occurrence, l'argent vient de George Harrison, qui a adopté notre religion. »

Karla assistait à la conversation avec un mélange d'intérêt feint et d'ennui visible. Le fait qu'il n'ait plus dit un mot en chemin avait confirmé les propos de la voyante : ce garçon était la compagnie idéale pour son voyage au Népal. Il ne parlait pas beaucoup, ne cherchait pas à imposer son avis, mais savait parfaitement défendre ses droits, comme l'avait montré l'histoire de l'écusson. Elle n'avait plus qu'à trouver le bon moment pour aborder le sujet.

Ils allèrent jusqu'au buffet et se servirent de plusieurs plats végétariens délicieux tout en écoutant un des individus vêtus d'orange expliquer qui ils étaient aux nouveaux venus. Ces derniers étaient certainement nombreux, et convertir les gens en ce moment devait être un jeu d'enfant : les Occidentaux adoraient tout ce qui venait des terres exotiques d'Orient.

« Vous avez dû croiser des gens de notre groupe en venant ici, dit celui qui paraissait le plus vieux. Il arborait une barbe blanche et l'air béat de qui n'a jamais commis un péché de toute sa vie.

» À l'origine, le nom de notre religion est assez compliqué, alors vous pouvez nous appeler simplement Hare Krishna. On nous connaît depuis des siècles sous ce nom, puisque nous croyons que répéter sans cesse *"Hare Krishna, Hare Rama"* permet de faire le vide dans notre esprit et d'y laisser pénétrer l'énergie.

» Nous croyons que tout est un, que notre âme est commune et que chaque goutte de lumière qui y pénètre finit par éclairer les coins sombres qui l'entourent.

» Voilà. Ceux qui le veulent peuvent prendre la *Bhagavad-Gîtâ* en sortant et remplir une fiche pour demander officiellement l'affiliation. Vous ne manquerez de rien, parce que le Seigneur Bienheureux l'a promis avant la grande bataille, quand l'un des guerriers s'est senti coupable de participer à une guerre civile. Le Seigneur Bienheureux lui a répondu que personne ne tue et personne ne meurt, qu'il lui incombait seulement d'accomplir son devoir et de faire ce qui lui avait été ordonné. »

Il prit un exemplaire du livre indiqué. Paulo fixait le gourou avec intérêt ; Karla fixait Paulo avec intérêt : elle se doutait qu'il n'avait jamais entendu parler de tout ça.

« Ô fils de Kuntî, soit tu mourras sur le champ de bataille et seras emmené aux planètes dans le ciel, soit tu vaincras tes ennemis et tu conquerras ce dont tu rêves. Donc, au lieu de t'interroger sur le but de cette guerre, lève-toi et combats… »

Le gourou referma le livre.

« Voilà ce que nous devons faire. Au lieu de perdre notre temps à dire "C'est bien" ou "C'est mal", nous devons accomplir notre destinée. C'est le destin qui vous a conduit ici aujourd'hui. Ceux qui le souhaitent peuvent sortir avec nous pour danser et chanter dans la rue après le repas. »

Les yeux de Paulo se firent plus brillants et Karla n'eut pas besoin de paroles ; elle avait compris.

« Tu n'as pas l'intention d'y aller, si ?

— Si. Je n'ai jamais chanté et dansé dans la rue comme ça.

— Tu sais qu'ils n'autorisent le sexe qu'après le mariage, et encore, seulement pour procréer, pas pour le plaisir ? Tu crois qu'un groupe qui se prétend illuminé est capable de rejeter, de nier, de condamner un si bel acte ?

— Je me fiche pas mal du sexe là, je pense juste à la danse et à la musique. Ça fait longtemps que je n'ai pas écouté de musique, que je n'ai pas chanté, et c'est un trou noir dans ma vie.

— Ce soir je peux t'emmener chanter et danser quelque part. »

Pourquoi cette fille manifestait-elle tant d'intérêt pour lui ? Elle pouvait se trouver l'homme qu'elle voulait, quand elle le voudrait. Il se souvint de l'Argentin : peut-être avait-elle besoin de quelqu'un pour l'aider dans un certain type de travail qui ne l'intéressait pas le moins du monde. Il entreprit de tâter le terrain :

« Tu connais la Maison du Soleil Levant ? »

Sa question pouvait être interprétée de trois manières : si elle connaissait la chanson (*The House of the Rising Sun*, que chantaient The Animals), d'abord. Si elle connaissait le sens des paroles, ensuite. Si elle avait envie d'y aller, enfin.

« Arrête tes conneries. »

Ce garçon, qu'au départ elle avait jugé si intelligent, charmant, taciturne, facile à contrôler, semblait n'avoir rien compris. Et, pour incroyable que cela puisse paraître, elle avait davantage besoin de lui que lui d'elle.

« Très bien. Vas-y, moi je vous suis à distance. On se retrouve après. »

Elle eut envie d'ajouter : « Ça fait un bail que je suis sortie de ma période Hare Krishna, moi », mais elle se retint pour ne pas effrayer sa proie.

Quelle joie d'être là à bondir, à sauter, à chanter à pleins poumons, avec ces initiés vêtus d'orange, qui jouaient de la clochette et semblaient être en paix avec la vie ! Cinq nouveaux venus avaient rejoint le groupe et le cortège grossissait à mesure qu'il avançait dans les rues. De temps à autre, Paulo se retournait pour voir si Karla le suivait toujours. Il ne voulait pas la perdre, ils s'étaient mystérieusement rapprochés l'un de l'autre et ce mystère devait être préservé – jamais compris peut-être, mais préservé. Oui, elle était là, à bonne distance, pour éviter d'être assimilée à ces moines ou apprentis moines, et ils se souriaient à chaque regard échangé.

Un lien se nouait peu à peu, qui gagnait en force.

Il se rappela un conte de son enfance, *Le Joueur de flûte de Hamelin*, dont le héros, pour se venger d'une ville qu'il a débarrassée de ses rats et qui a manqué à sa promesse de le payer, décide d'envoûter les enfants et de les entraîner au loin grâce au pouvoir de sa musique. Paulo était en train de vivre une chose similaire : il était redevenu un enfant et dansait au milieu de la rue, il n'avait plus rien à voir avec celui qui avait passé des années plongé dans les livres de magie, à pratiquer des rituels compliqués en pensant qu'il approchait ses véritables avatars. Peut-être avait-il vraiment changé, ou non ; quoi qu'il en soit, danser et chanter l'aidait à accéder au même état d'esprit.

À force de répéter le mantra et de bondir, il commença à atteindre un état où la pensée, la logique et les rues de la ville n'avaient plus autant d'importance : sa tête était totalement vide et il ne revenait à la réalité que de temps en temps, pour vérifier que Karla le suivait toujours. Oui, elle était là, et ce serait si bon qu'elle soit encore là, dans sa vie, longtemps, même s'il ne la connaissait que depuis trois heures...

Il était sûr qu'elle éprouvait la même chose de son côté, sinon elle l'aurait tout bonnement quitté au restaurant.

Il comprenait mieux les paroles de Krishna au guerrier Arjuna, avant la bataille. Elles n'étaient pas parfaitement identiques à celles du livre, mais elles inspiraient son âme de la manière suivante :

« Lutte, il faut lutter car tu es face à un combat.

Lutte car tu es en harmonie avec l'Univers, avec les planètes, les soleils qui explosent et les étoiles qui pâlissent et s'éteignent pour toujours.

Lutte pour accomplir ton destin, sans penser aux gains ou aux profits, aux pertes ou aux stratégies, aux victoires ou aux défaites.

N'essaie pas de te remercier toi-même, mais remercie l'Amour Majeur qui, n'offrant qu'un bref contact avec le Cosmos, exige un acte de dévotion totale, sans questionnements, sans doute : aimer pour aimer et rien d'autre.

Un amour qui ne doit rien à personne, qui n'est obligé à rien, qui se réjouit simplement d'exister et de pouvoir se manifester. »

*

Lorsque le cortège parvint au Dam et commença à faire le tour de la place, Paulo en sortit pour laisser Karla le rejoindre. Elle paraissait différente, plus détendue, plus à l'aise en sa présence. Le soleil n'était plus aussi chaud, il ne devait plus y avoir de filles torse nu dans les parcs. Mais tout semblait arriver à l'inverse de ce qu'il s'imaginait : sur leur gauche, ils remarquèrent des lumières intenses et, n'ayant absolument rien à faire, ils décidèrent d'aller voir ce qui se passait.

Les projecteurs éclairaient un mannequin complètement nu, qui tenait une tulipe devant son sexe pour le cacher. Pile en arrière-plan se dressait l'obélisque au centre du Dam. Karla demanda à l'un des assistants ce qu'il faisait là.

« Une affiche commandée par le département du Tourisme.

— Et ce sont ces Pays-Bas-là que vous vendez aux étrangers ? Parce que les gens ici se baladent en ville à poil, peut-être ? »

L'assistant s'éloigna sans répondre. La séance s'interrompit, la maquilleuse entra en scène pour retoucher le sein droit du modèle et Karla en profita pour se tourner vers un autre assistant. Elle lui posa la même question. Le gars, un peu stressé, la pria de ne pas le déranger, mais Karla était déterminée.

« Vous avez l'air tendu. Qu'est-ce qui vous cause du souci ?

— La lumière. Elle tombe vite et d'ici peu le Dam sera dans l'ombre, répondit l'assistant, désireux de se débarrasser d'elle.

— Vous n'êtes pas d'ici, pas vrai ? On est au début de l'automne et le soleil brille jusqu'à 7 heures du soir. Et puis j'ai le pouvoir d'arrêter le soleil. »

Le type la regarda, surpris. Elle avait réussi à attirer son attention.

« Pourquoi faites-vous une affiche avec une femme nue tenant une tulipe devant son sexe ? Ce sont ces Pays-Bas-là que vous voulez vendre au monde entier ? »

La réponse fusa d'une voix irritée, mais contenue :

« Quels Pays-Bas ? Qui a dit qu'on était aux Pays-Bas, où les maisons ont des fenêtres basses et des rideaux ajourés pour que tout le monde puisse voir ce qu'il s'y passe et vérifier que personne n'est en train de pécher, que la vie de chaque famille est un livre ouvert ? C'est ça les Pays-Bas ma petite : un pays dominé par le calvinisme, où tout le monde pèche jusqu'à preuve du contraire, où le péché est logé dans le cœur, dans l'esprit, dans le corps, dans les émotions. Et où seule la grâce de Dieu peut en sauver quelques-uns, mais pas tous, juste les élus. Vous êtes d'ici et vous ne l'avez pas encore compris ? »

Il alluma une cigarette et continua à fixer la jeune fille, tout à l'heure si arrogante, à présent intimidée.

« Mais ici on n'est pas aux Pays-Bas, fillette, on est à Amsterdam, avec des prostituées en vitrine et des drogues dans les rues. Amsterdam, entourée d'un cordon sanitaire invisible. Et gare à ceux qui oseraient émettre de telles idées hors de la ville. Ils seraient non seulement mal accueillis, mais en plus refoulés de la moindre chambre d'hôtel s'ils ne sont pas habillés bon chic bon genre. Vous le savez, non ? Alors s'il vous plaît, écartez-vous et laissez-nous faire notre travail. »

Ce fut lui qui s'éloigna, laissant Karla abasourdie, comme si elle venait de recevoir une grande claque. Paulo essaya de la consoler, mais elle murmura pour elle-même :

« C'est vrai. Il a raison, c'est vrai. »

Comment ça ? Même le douanier à la frontière portait une boucle d'oreille !

« Il y a un mur invisible autour de cette ville, répondit-elle. Vous voulez faire des folies ? Alors nous allons trouver un endroit où chacun peut faire presque tout ce qu'il veut, mais ne dépassez pas cette frontière, ou vous serez arrêtés pour trafic de drogue, même si vous ne faites qu'en consommer, ou bien pour attentat à la pudeur, parce qu'il faut porter un soutien-gorge, préserver la pudeur et la morale, pour que ce pays puisse aller de l'avant. »

Paulo était un peu surpris. Tout en s'éloignant, elle lui lança :

« Rendez-vous ici ce soir à 9 heures. J'ai promis de t'emmener écouter de la *vraie* musique et danser.

— Mais tu n'es pas obligée…

— Bien sûr que si. Et ne me fais pas faux bond, jamais un homme ne m'a posé un lapin. »

Karla s'inquiétait. Elle regrettait de ne pas avoir participé à cette danse et à ces chants dans la rue, cela lui aurait permis de se rapprocher de lui. Mais enfin, tout couple avait besoin de courir des risques.

Un couple ?

« Je crois toujours à tout ce que les gens me disent et je finis toujours par être déçue, entendait-elle souvent. Ça ne t'arrive jamais ? »

Bien sûr que si, mais à vingt-trois ans elle avait appris à se défendre. Et la seule option, mis à part faire confiance aux gens, c'était d'être en permanence sur la défensive, de ne plus être capable d'aimer et de prendre des décisions, de toujours rejeter la faute sur les autres. Quel intérêt y avait-il à vivre ainsi ?

Quand on a confiance en soi, on fait confiance aux autres. Parce qu'on sait intimement que le jour où on sera trahi – et cela arrivera, c'est dans la nature du monde –, on aura les moyens de se défendre. Courir des risques fait partie des choses qui donnent du sel à la vie.

La boîte où Karla l'avait invité portait le nom évocateur de Paradiso et était en vérité... une église. Une église du XIXe siècle, construite à l'origine pour abriter un groupe d'adeptes d'une religion locale qui, dès le milieu des années 1950, avaient constaté qu'ils n'arrivaient plus à attirer grand monde, même s'ils prônaient une sorte de réforme de la Réforme luthérienne. Et en 1965, en raison des coûts d'entretien, les derniers fidèles avaient décidé d'abandonner l'édifice, que les hippies avaient investi deux ans plus tard, trouvant la nef principale parfaite pour organiser des débats, des conférences, des concerts et des activités politiques.

Peu après, la police les en expulsa, mais le lieu demeura vide et les hippies revinrent en masse, ne laissant aux autorités qu'une solution : les chasser avec perte et fracas ou les laisser s'installer. Une rencontre entre les représentants des dépravés chevelus et la municipalité tirée à quatre épingles permit la construction d'une scène à la place de l'ancien autel, du moment qu'ils payaient une taxe sur chaque billet vendu et prenaient soin des vitraux.

La taxe, bien entendu, ne fut jamais payée. Les hippies alléguaient toujours que les activités culturelles étaient déficitaires, et personne ne parut s'en soucier ou envisager une nouvelle expulsion. En même temps, la gloire et la beauté du Roi des Rois restaient visibles : ils nettoyaient régulièrement les vitraux et réparaient la moindre fissure à l'aide de plomb et de verre coloré. Quand on leur demandait pourquoi ils s'en occupaient avec tant de soin, les responsables répondaient :

« Parce qu'ils sont beaux. Et qu'il a fallu beaucoup de travail pour les concevoir, les dessiner, les poser. Nous sommes ici pour montrer notre art, et nous respectons l'art de ceux qui nous ont précédés. »

*

Lorsque Paulo et Karla entrèrent, les gens dansaient sur un des classiques du moment. Le plafond très haut ne favorisait pas une bonne acoustique, mais quelle importance ? Est-ce que Paulo avait pensé à l'acoustique quand il chantait *Hare Krishna* dans les rues ? Le plus important, c'était que tous souriaient, s'amusaient, fumaient, échangeaient des regards de séduction ou de simple admiration. À cette époque-là, il n'y avait plus d'entrée ou de taxe à payer pour personne : non seulement la mairie s'était chargée d'éviter qu'ils ne transgressent la loi, mais en plus elle leur octroyait une subvention pour l'entretien des lieux.

Au-delà de la femme nue à la tulipe sur le sexe, le but des édiles était manifestement de faire d'Amsterdam la capitale d'un certain genre de culture. Et pour cause, les hippies avaient ressuscité la ville et d'après Karla la fréquentation hôtelière avait augmenté : tout le monde voulait voir cette tribu sans chef où les filles, soi-disant, étaient toujours prêtes à faire l'amour avec le premier venu, ce qui était faux, bien entendu.

« Les Néerlandais sont intelligents.

— Évidemment. Par le passé, nous avons conquis le monde entier, y compris le Brésil. »

Ils montèrent à l'un des balcons qui entouraient la nef principale. Par miracle, l'acoustique y était inexistante, de sorte qu'ils pouvaient discuter un peu sans être gênés par la musique tonitruante d'en bas. Mais ni Paulo ni Karla n'avaient envie de parler, et ils se penchèrent à la balustrade de bois pour observer les danseurs. Elle suggéra de descendre les rejoindre, mais il lui avoua que la seule musique sur laquelle il savait vraiment danser était *Hare Krishna Hare Rama*. Ils éclatèrent de rire, allumèrent une cigarette qu'ils partagèrent, puis Karla fit signe à quelqu'un ; à travers la fumée, il parvint à distinguer une fille.

« Wilma, dit-elle pour se présenter.

— On part pour le Népal. »

L'annonce de Karla provoqua un rire chez Paulo, qui crut à une blague.

Wilma marqua sa surprise par un commentaire, mais ne montra pas davantage d'émoi. Karla demanda à Paulo si elle pouvait parler un peu avec son amie en néerlandais, et il se remit à regarder les danseurs.

Le Népal ? Alors cette fille qu'il venait de rencontrer et qui semblait apprécier sa compagnie allait bientôt partir ? Elle avait dit « on », comme si quelqu'un l'accompagnait dans cette aventure. Pour aller si loin ? Et le billet devait coûter une fortune…

Il avait compris pourquoi il appréciait tant Amsterdam : il n'y était pas seul. Il n'était pas obligé d'accoster qui que ce soit ; dès son arrivée, il avait rencontré quelqu'un avec qui il aimait naviguer partout. Considérer qu'il était en train de tomber amoureux était exagéré ; cependant, Karla avait un tempérament qu'il adorait : elle savait exactement où elle allait.

Mais se voyait-il, lui, aller au Népal ? Avec une fille qu'il se sentirait obligé, qu'il le veuille ou non, de surveiller et de protéger, ainsi que ses parents le lui avaient enseigné ? C'était au-dessus de ses moyens. Il savait que tôt ou tard il devrait quitter cette ville enchanteresse et que sa prochaine destination – si la douane anglaise le permettait – serait Piccadilly Circus où les gens affluaient aussi du monde entier.

Karla parlait toujours avec son amie et Paulo feignait de s'intéresser aux chansons qui passaient – celles de Simon & Garfunkel, des Beatles, de James Taylor, Santana, Carly Simon, Joe Cocker, B.B. King, Creedence Clearwater Revival –, bref, une liste impressionnante qui s'agrandissait de jour en jour, d'heure en heure. Il y avait bien le couple brésilien rencontré l'après-midi, qui lui ouvrirait sans doute d'autres portes, mais pouvait-il laisser partir cette fille qui venait juste d'arriver dans sa vie ?

Il entendit les accords familiers des Animals et se souvint d'avoir demandé à Karla de l'emmener dans une Maison du Soleil Levant. La fin de la chanson était effrayante, il comprenait bien le sens des paroles, néanmoins le danger l'attirait et le fascinait.

> *Oh mother tell your children*
> *Not to do what I have done*
> *Spend your lives in sin and misery*
> *In the House of the Rising Sun* [1]

Karla sentit l'inspiration monter d'un coup : elle devait tout expliquer à Wilma.

« Heureusement que tu as réussi à te contrôler. Tu aurais pu tout faire rater.

— Pour le Népal ?

— Oui. Parce que tu vois, un jour ou l'autre je serai peut-être vieille, grosse, affublée d'un mari jaloux, d'enfants qui m'empêcheront de m'occuper de moi, d'un travail de bureau où je ferai la même chose tous les jours, et je finirai par m'y habituer, à cette routine, au confort, au lieu où je vivrai. Je pourrai toujours rentrer à Rotterdam un jour ou l'autre.

---

1. « Oh mère dis à tes enfants / De ne pas faire ce que j'ai fait / Passer leur vie dans le péché et la misère / Dans la Maison du Soleil Levant. » (*N. d. T.*)

Je pourrai toujours profiter des avantages de l'assurance chômage ou de la sécurité sociale dont nous bénéficions. Je pourrais même devenir présidente de Shell ou de Philips ou de United Fruit, parce que je suis néerlandaise et qu'ils ne font confiance qu'aux Néerlandais. Mais le Népal, c'est maintenant ou jamais : je suis déjà en train de vieillir.

— À vingt-trois ans ?

— Les années passent plus vite que tu ne le crois, Wilma. J'ai décidé de prendre des risques maintenant, tant que j'en ai encore la santé et le courage, et je te conseille d'en faire autant. On est d'accord sur le fait qu'Amsterdam est un endroit ennuyeux à mourir, mais c'est parce qu'on s'y est habituées. Aujourd'hui, quand j'ai vu ce Brésilien et ses yeux si brillants, j'ai découvert que c'est moi qui étais ennuyeuse à mourir. Que je ne voyais plus la beauté de la liberté, car je m'y étais habituée. »

Elle jeta un coup d'œil à Paulo et vit qu'il écoutait *Stand by Me*, les yeux fermés. Elle poursuivit :

« Je dois redécouvrir la beauté, juste la beauté. Ne pas oublier que même si je rentre un jour, il y aura encore beaucoup à voir et à vivre. Où ira mon cœur, si je ne connais pas encore ses multiples chemins ? Quelle sera ma prochaine destination, si je ne suis pas partie d'ici comme je devais le faire ? Quelles collines finirai-je par gravir, si je ne vois aucune corde où me tenir ? »

Je suis venue de Rotterdam dans ce but, j'ai essayé de proposer à plusieurs hommes de prendre des routes inexistantes, des bateaux qui n'arrivent jamais au port, de s'élever jusqu'au ciel sans limites, mais tous ont refusé, tous ont eu peur de moi ou de l'inconnu. Jusqu'à cet après-midi où j'ai rencontré ce Brésilien. Sans tenir compte de mon opinion, il a suivi les Hare Krishna dans la rue, il a chanté et dansé avec eux. J'avais envie de l'accompagner, mais mon souci d'être une femme forte à ses yeux m'en a empêchée. Maintenant je ne douterai plus.

Wilma ne comprenait toujours pas pourquoi le Népal, ni en quoi Paulo l'avait aidée.

« Quand tu es arrivée et que je t'ai dit pour le Népal, j'ai senti que c'était *la* chose à faire. Parce que en même temps j'ai remarqué qu'il était non seulement surpris, mais aussi effrayé. C'est la Déesse qui a dû m'inspirer ces mots. Je suis moins angoissée que ce matin, ou que la semaine dernière, quand je me suis mise à douter de ma capacité à réaliser mon rêve.

— Tu en rêves depuis longtemps ?

— Non. Ça a commencé par une annonce que j'ai découpée dans un journal alternatif. Depuis ça ne me sort plus de la tête. »

Wilma allait lui demander si elle avait fumé beaucoup de haschisch ce jour-là, mais Paulo venait de s'approcher.

« On va danser ? » demanda-t-il.

Karla le prit par la main et ils regagnèrent la nef centrale. Wilma resta plantée là, sans savoir que faire. Mais cela ne durerait pas longtemps : sitôt qu'on la verrait seule, quelqu'un s'approcherait pour engager la conversation. Tout le monde parlait à tout le monde.

Quand ils sortirent dans le silence et la pluie fine, leurs oreilles bourdonnaient à cause de la musique. Ils étaient obligés de crier pour se parler.

« Tu es dans les parages demain ?

— Je serai là où tu m'as vue pour la première fois. Ensuite il faudra que j'aille à l'agence des bus pour le Népal. »

Encore cette histoire de Népal et de bus ?

« Viens avec moi si tu veux, ajouta-t-elle comme si elle lui faisait une grande faveur. Mais avant j'aimerais t'emmener faire une balade hors d'Amsterdam. Tu as déjà vu un moulin à vent ? »

Elle rit de sa propre question. C'était comme ça que le monde entier imaginait son pays : des sabots, des moulins à vent, des vaches, des prostituées en vitrine.

« Rendez-vous au même endroit », répondit Paulo.

Il était à la fois anxieux et content parce que cette fille, ce modèle de beauté, aux cheveux bien coiffés et piqués de fleurs, à la jupe longue, au gilet brodé de petits miroirs, au parfum de patchouli, cette merveille, avait envie de le revoir.

« J'y serai vers 1 heure de l'après-midi. J'ai besoin de dormir un peu. Mais on ne devait pas aller dans une Maison du Soleil Levant ?

— J'ai dit que je t'en montrerais une. Pas que j'irais avec toi. »

Ils parcoururent moins de deux cents mètres et parvinrent à une venelle, où ils s'arrêtèrent devant une porte qui n'avait pas d'enseigne et d'où ne sortait aucune musique.

« En voilà une. J'aimerais te faire deux suggestions. »

Elle avait pensé au mot « conseil », mais cela aurait été le pire choix du monde. Elle poursuivit :

« Fais attention à ne rien avoir sur toi en sortant : on ne voit pas les policiers, mais ils doivent être derrière une de ces fenêtres, à surveiller les visiteurs. En général, ils fouillent les gens à la sortie. Et ceux qui sortent avec quelque chose sur eux vont direct en prison. »

Paulo hocha la tête, et demanda quelle était la seconde suggestion.

« Ne touche à rien. »

Puis elle lui donna un baiser sur les lèvres, un baiser chaste qui promettait beaucoup, mais ne livrait rien, fit volte-face et partit vers son dortoir. Paulo, resté seul, se demanda s'il devait ou non passer le seuil. Peut-être valait-il mieux rentrer et commencer à poser sur sa veste les étoiles de métal achetées l'après-midi.

Néanmoins, la curiosité l'emporta, et il se tourna vers la porte.

Le couloir était étroit, bas et mal éclairé. Au bout un homme au crâne rasé, qui semblait expert en méthodes policières, le regarda de haut en bas : c'était la fameuse « lecture corporelle », qui permet d'évaluer les intentions, le degré de nervosité, la situation financière et la profession de la personne en face. Il lui demanda s'il avait de l'argent à dépenser. Oui, il en avait, mais il ne comptait pas, comme à la douane, faire mine de le montrer. L'homme resta suspicieux une seconde, mais le laissa passer : ça ne devait pas être un touriste, les touristes ne s'intéressaient pas à ça.

Quelques personnes étaient allongées sur des matelas éparpillés au sol, d'autres assises contre les murs peints en rouge. Pourquoi était-il ici ? Pour satisfaire une curiosité morbide ?

Aucune conversation, aucune musique dans la pièce. Sa curiosité morbide était limitée à ce qu'il voyait : le même éclat, ou plutôt l'absence d'éclat, dans les yeux de tous. Il essaya d'échanger quelques mots avec un garçon de son âge, au corps émacié, sans chemise, à la peau marquée de plusieurs taches rouges, qui ressemblaient à des piqûres d'insecte grattées jusqu'à l'inflammation.

Un gars entra : il paraissait dix ans plus vieux que la plupart des jeunes hippies dehors, mais en vérité il devait avoir à peu près leur âge. C'était, pour l'instant du moins, le seul à être sobre. Mais d'ici peu il aurait pénétré un autre univers, alors Paulo s'approcha de lui pour voir s'il pouvait en tirer quelque chose, ne serait-ce qu'une simple phrase pour un livre qu'il comptait écrire un jour. Son rêve était d'être écrivain, et il avait payé assez cher pour avoir choisi cette voie marginale, entre les internements en hôpital psychiatrique, les séjours en prison et la torture, l'impossibilité, au lycée, de voir son amoureuse – la mère de l'adolescente avait interdit à sa fille de l'approcher – et le mépris de ses camarades quand il s'était mis à porter des vêtements originaux.

Depuis, il avait pris sa revanche : tout le monde l'avait envié quand il avait rencontré sa première petite amie, belle et riche, et commencé à parcourir le monde.

Mais pourquoi pensait-il à sa vie dans une ambiance aussi décadente ? Il éprouvait le besoin de parler à quelqu'un. Il s'assit à côté du jeune vieux qui venait d'entrer. Il le vit sortir une cuillère au manche tordu et une seringue qui paraissait bien usagée.

« J'aimerais… »

L'autre se leva pour changer de place, mais il s'arrêta net lorsque Paulo sortit l'équivalent de

3 ou 4 dollars de sa poche et les posa par terre près de la cuillère. Il le regarda avec surprise.

« Vous êtes policier ?

— Non, je ne suis pas policier, je ne suis même pas néerlandais. J'aimerais juste…

— Journaliste alors ?

— Non. Je suis écrivain. C'est pour ça que je suis ici.

— Vous avez écrit quels livres ?

— Aucun. D'abord je dois faire des recherches. »

Le junky regarda l'argent par terre, puis Paulo. Visiblement, il avait du mal à croire qu'un garçon si jeune puisse écrire quoi que ce soit, excepté pour les journaux qui faisaient partie du « Courrier Invisible ». Il tendit sa main vers l'argent, mais Paulo l'interrompit.

« Cinq minutes, c'est tout. Pas plus de cinq minutes. »

L'autre acquiesça. Plus personne ne lui avait donné un centime en échange de son temps depuis qu'il avait quitté son emploi de cadre prometteur dans une grande banque internationale, après avoir essayé pour la première fois « le baiser de l'aiguille ».

« Le baiser de l'aiguille ?

— Exactement. Nous nous piquons plusieurs fois avant de nous injecter l'héroïne : ce que vous appelez "douleur" est pour nous le préambule d'une rencontre avec quelque chose que vous ne pourrez jamais comprendre. »

Ils chuchotaient pour ne pas attirer l'attention, mais Paulo savait que même si une bombe atomique

116

était larguée ici, personne ne se donnerait la peine de s'enfuir.

« Je m'appelle Ted, mais ne cite pas mon nom », ajouta-t-il avant de poursuivre.

Les cinq minutes allaient vite passer. Heureusement, car Paulo sentait la présence du démon dans cet endroit.

« Et alors ? C'est quoi cette sensation ?

— Et alors c'est indescriptible, il faut l'essayer. Ou croire à la description de Lou Reed et du Velvet Underground.

Cause it makes me feel like I'm a man
When I put a spike into my vein
And I tell you things aren't quite the same
When I'm rushing on my run
And I feel just like Jesus' son[1] »

Paulo avait déjà écouté Lou Reed. Ça n'était pas suffisant.

« Essaie de décrire, s'il te plaît. Le temps passe. »

Le gars prit une grande inspiration. Il gardait un œil sur Paulo et un autre sur la seringue. Il devait répondre au plus vite à cet « écrivain » impertinent pour s'en débarrasser avant qu'on le mette à la porte avec son argent.

---

1. Car j'ai l'impression d'être un homme / Quand j'enfonce une aiguille dans ma veine / Et je vous assure que les choses ne sont plus les mêmes / Quand je suis en pleine montée / Je me prends pour le fils de Jésus. (*N. d. T.*)

« Je suppose que tu as un peu d'expérience en matière de drogues. Moi je sais ce que le haschisch et la marijuana procurent : de la paix, de l'euphorie, de la confiance en soi, l'envie de manger et de faire l'amour. Je me fiche de tout ça, ça fait partie d'une vie qu'on nous a appris à vivre. Tu fumes du haschisch et tu te dis : « Le monde est beau, je vois enfin les choses, vraiment ! », mais selon la dose, tu finis par faire des voyages qui te mènent en enfer. Tu prends du LSD et tu te dis : "Ouah, comment j'ai fait pour ne pas remarquer tout ça avant, voir que la terre respire et que les couleurs changent à chaque instant ?" C'est ça que tu veux savoir ? »

C'était ça. Mais il laissa l'autre continuer.

« Avec l'héroïne c'est complètement différent : tu gardes le contrôle – de ton corps, de ton esprit, de ton art. Et une félicité immense, indescriptible, emplit l'Univers tout entier. Jésus sur terre. Krishna dans tes veines. Bouddha qui te sourit depuis le ciel. Aucune hallucination, tout ça c'est la réalité, la pure réalité. Tu me crois ? »

Non. Mais il n'en dit rien et se contenta de hocher la tête.

« Le lendemain, aucune gueule de bois, juste le sentiment d'être allé au paradis et d'être revenu à cette saloperie de monde. Alors tu vas au travail et tu te rends compte que tout est un mensonge : les gens veulent paraître importants, ils essaient de donner un sens à leur vie et compliquent celle des autres pour avoir une sensation d'autorité, de pouvoir. »

Alors tu ne supportes plus toute cette hypocrisie et tu décides de revenir au paradis, mais le paradis c'est cher, la porte en est étroite. Celui qui y entre découvre que la vie est belle, que le soleil peut effectivement se diviser en rayons, ce n'est plus cette boule ronde, monotone, qu'on ne peut même pas regarder en face. Le lendemain, tu rentres du travail dans un train bondé de gens au regard vide, plus vide que les yeux de ceux qui sont ici. Tout le monde pense à rentrer chez soi, préparer le dîner, allumer la télévision, oublier la réalité. Oh, mec, la réalité c'est cette poudre blanche, pas la télévision !

Plus Ted parlait, plus Paulo se sentait tenté d'essayer une fois, juste une fois. Et l'autre le savait bien.

« Avec le haschisch, je sais qu'il existe un monde auquel je n'appartiens pas. Pareil avec le LSD. Mais l'héroïne, mec, l'héroïne c'est moi. C'est grâce à elle que la vie vaut la peine d'être vécue, indépendamment de ce qui se dit dehors. Il n'y a qu'un problème...

Heureusement il y a un problème. Paulo voulait le connaître tout de suite, parce qu'il n'était qu'à quelques centimètres de la pointe de l'aiguille et de sa première expérience.

« ... c'est que l'organisme devient de plus en plus tolérant. J'ai commencé à consommer 5 dollars par jour, aujourd'hui j'ai besoin de 20 dollars pour atteindre le paradis. J'ai déjà vendu tout ce que j'avais, la prochaine étape sera de mendier, et après avoir mendié je serai forcé de voler parce que le démon n'aime pas que les gens connaissent le paradis. Je sais ce qui va m'arriver, parce que c'est arrivé à tous ceux qui sont ici aujourd'hui. Mais je m'en fiche. »

Comme c'était curieux. Chacun avait sa propre idée du côté de la porte où se trouvait le paradis, et elle était très différente...

« Il me semble que les cinq minutes sont écoulées.

— Oui, tu m'as très bien expliqué et je t'en remercie.

— Quand tu écriras là-dessus, ne fais pas comme les autres qui passent leur temps à condamner ce qu'ils ne comprennent pas. Sois honnête. Comble les vides avec ton imagination. »

La conversation achevée, Paulo ne bougea pas d'un pouce. Ted n'en parut pas gêné et mit l'argent dans sa poche : puisque l'autre avait payé, il avait bien le droit de voir.

Il versa un peu de poudre blanche et d'eau dans la cuillère au manche tordu et la chauffa à la flamme d'un briquet. Peu à peu, la mixture se mit à frémir et devint homogène. Il demanda à Paulo de l'aider à placer son garrot pour que la veine ressorte mieux.

« Certains n'ont plus de place sur le bras, alors ils se piquent au pied ou sur le dos de la main. Mais moi, grâce à Dieu, j'ai encore un long chemin devant moi. »

Il remplit la seringue et, comme il l'avait expliqué au début, il enfonça l'aiguille plusieurs fois, anticipant le moment d'ouvrir la fameuse porte. Enfin, il desserra le garrot et s'injecta la dose. L'anxiété fit place à la béatitude dans ses yeux, qui au bout de cinq à dix minutes avaient perdu toute lumière. Il se mit alors à fixer un mystérieux point dans l'air où flottaient, selon lui, Bouddha, Krishna et Jésus.

Paulo se leva et se dirigea vers la sortie, enjambant le plus discrètement possible les jeunes affalés sur les matelas sales. Mais le vigile au crâne rasé lui barra le passage.

« Il n'y a pas longtemps que tu es rentré. Tu sors déjà ?

— Oui, je n'ai pas d'argent.

— C'est faux. Quelqu'un t'a vu glisser quelques billets à Ted. Tu es venu chercher de nouveaux clients ?

— Pas du tout. Je n'ai parlé qu'avec lui, et vous pourrez lui demander de quoi. »

À nouveau, il tenta de passer, mais le géant l'en empêcha. Il avait peur, même s'il savait que rien de mal ne pouvait lui arriver : Karla lui avait dit que dehors, aux fenêtres, les policiers surveillaient les lieux.

« Un ami à moi voudrait te parler », ajouta le gros bras en désignant une porte au fond du salon.

Son ton ne laissait pas de doute : Paulo ne pouvait qu'obéir.

L'histoire des policiers était peut-être une invention de Karla pour le protéger…

Voyant qu'il n'avait pas vraiment le choix, il se dirigea vers la porte indiquée. Avant même qu'il ne l'ait atteinte, elle s'ouvrit sur un homme à la tenue discrète, aux cheveux et aux pattes à la Elvis Presley, qui le pria aimablement d'entrer et lui offrit une chaise.

Le bureau n'avait rien à voir avec ce à quoi le cinéma l'avait habitué : des femmes sensuelles, du champagne, des hommes portant des lunettes fumées et une arme de gros calibre. Au contraire, la pièce était sobre : quelques reproductions bon marché aux murs peints en blanc, et juste un téléphone sur le bureau – un meuble ancien, mais en excellent état. Derrière, une photo immense.

« La tour de Belém, dit Paulo, sans se rendre compte qu'il s'était exprimé dans sa langue maternelle.

— Tout à fait, répondit l'homme, en portugais également. C'est de là que nous sommes partis pour conquérir le monde. Voulez-vous boire quelque chose ? »

Non, rien. Son cœur ne s'était pas encore calmé.

« Bien, je suppose que vous êtes quelqu'un d'occupé… »

Cette phrase était hors contexte, mais n'en révélait pas moins de la gentillesse.

« Nous avons vu que vous étiez entré puis ressorti du salon, après avoir parlé avec un seul de nos clients. Vous n'avez pas l'air d'un policier en civil, mais d'un voyageur qui, au terme de beaucoup d'efforts, a pu arriver dans cette ville pour profiter de tout ce qu'elle offre. »

Paulo resta muet.

« Vous ne vous êtes pas non plus intéressé au matériel excellent que nous proposons ici. Cela vous dérangerait de me montrer votre passeport ? »

Bien sûr que ça le dérangeait, mais comment refuser ? Il glissa la main dans la pochette attachée à sa ceinture, en sortit le petit carnet et le tendit à son interlocuteur, avant de le regretter aussitôt : et si l'autre ne le lui rendait pas ?

Mais l'autre jeta un bref coup d'œil à l'intérieur et sourit avant de le lui remettre.

« Il n'y a pas beaucoup de pays : c'est parfait. Pérou, Bolivie, Chili, Argentine et Italie. Et Pays-Bas bien sûr. Vous avez dû passer la frontière sans problème. »

Sans aucun problème.

« Et où allez-vous maintenant ?

— En Angleterre. »

Ce fut la seule réponse qui lui vint, bien qu'il n'ait pas la moindre intention d'indiquer à cet homme son itinéraire précis.

« J'ai une proposition à vous faire. Je dois acheminer de la marchandise – vous imaginez laquelle – jusqu'à Düsseldorf, en Allemagne. Juste deux kilos, qui peuvent facilement se cacher sous votre chemise. Nous vous achèterons un pull-over plus grand, bien entendu ; tout le monde porte un pull-over et un manteau en hiver. D'ailleurs, votre veste ne va pas vous servir longtemps : l'automne arrive. »

Paulo, muet, se contenta d'attendre la proposition.

« Nous vous paierons 5 000 dollars : deux et demi d'avance, ici, et deux et demi une fois que vous aurez livré le matériel à notre fournisseur en Allemagne. Vous n'aurez qu'une frontière à passer, rien de plus. Et votre séjour en Angleterre n'en sera que plus confortable, sans aucun doute. Là-bas la douane est en général très sévère : en principe, elle demande à voir combien d'argent le "touriste" a sur lui. »

Il n'en croyait pas ses oreilles. C'était trop tentant. Cette quantité d'argent lui permettrait de voyager encore pendant au moins deux ans.

« Simplement, il me faudrait votre réponse le plus tôt possible. L'idéal serait demain. Appelez ce numéro de cabine téléphonique à 16 heures, s'il vous plaît. »

Paulo prit la carte qu'il lui tendait. Le numéro qui y figurait était imprimé : ils avaient peut-être beaucoup de marchandise à livrer en ce moment, ou alors ils craignaient que leur écriture ne soit analysée.

« Je vous prie de bien vouloir m'excuser, mais je dois me remettre au travail. Merci beaucoup d'être venu jusqu'à mon modeste bureau. Tout ce que je fais, c'est permettre aux gens d'être heureux. »

Puis il se leva pour lui ouvrir la porte. Paulo dut retraverser la salle et enjamber à nouveau les junkies assis ou couchés sur les matelas. Il passa devant le vigile qui cette fois se borna à lui adresser un sourire complice.

Et il sortit sous la pluie fine, en priant Dieu de l'aider, de l'éclairer, de ne pas le laisser seul en cet instant.

Il était dans un quartier de la ville qu'il ne connaissait pas, il ne savait pas comment retourner au centre, il n'avait pas de plan. La solution d'urgence, bien entendu, était de prendre un taxi, mais il éprouvait le besoin de marcher sous ce crachin, qui se changea très vite en une véritable pluie pourtant incapable de rien laver, ni l'air autour de lui, ni son esprit obsédé par les 5 000 dollars.

Il demandait aux gens où se trouvait le Dam et ceux-ci poursuivaient leur chemin sans lui répondre, se disant probablement : « Encore un hippie timbré qui est arrivé jusqu'ici et n'est même pas fichu de retrouver ses petits copains... » Il tomba enfin sur une âme charitable : un homme, qui rangeait les journaux du lendemain dans un kiosque, lui vendit une carte et lui indiqua le chemin à suivre.

*

Lorsqu'il arriva au dortoir, le concierge de nuit alluma sa lumière spéciale pour vérifier qu'il avait payé la journée : les hôtes recevaient toujours un tampon sur la peau, à l'encre invisible, avant de sortir. Or le sien avait disparu ; il venait de passer vingt-quatre heures dehors, qui lui avaient paru sans fin. Il dut régler un jour de plus, « mais s'il vous plaît, ne me mettez pas le tampon maintenant, je vais prendre une douche, j'ai besoin de me laver, je suis sale dans tous les sens du terme ».

L'homme accepta à la condition qu'il revienne au maximum une demi-heure plus tard, car ensuite il débauchait. Paulo entra d'abord dans la salle de bains mixte, entendit des gens parler à voix haute, puis retourna au dortoir sur une impulsion. Il saisit la carte portant le numéro de téléphone et retourna dans la salle d'eau déjà nu, le papier à la main. Sa première action fut de le déchirer en tout petits morceaux, qu'il détrempa pour ne plus jamais parvenir à reconstituer l'ensemble, avant de les jeter par terre. Quelqu'un protesta : ça ne se faisait pas, il y avait des poubelles sous les lavabos. D'autres s'arrêtèrent pour dévisager ce mal élevé incapable de respecter l'espace partagé. Paulo, sans regarder personne, sans chercher à s'expliquer, se contenta d'obéir, lui qui n'obéissait plus à personne depuis bien longtemps.

Puis il retourna sous la douche et sentit qu'à présent, enfin, il était libéré. Bien sûr, il pouvait toujours retourner à cette « Maison du Soleil Levant », mais il en serait refoulé. Il avait eu sa chance et ne l'avait pas saisie.

Et cela le mettait de très bonne humeur.

Il se coucha. Les démons étaient partis à présent, il en était sûr et certain. Les démons qui attendaient qu'il accepte cette offre pour attirer de nouveaux sujets dans leur royaume. Il trouvait ridicule de penser de la sorte, car les drogues étaient déjà bien assez diabolisées comme ça, mais dans ce cas précis il se rangeait à l'avis général. C'était surtout ridicule venant de lui, qui les avait toujours défendues comme des sortes d'amplificateurs de conscience. Et il était là, maintenant, à souhaiter que la police néerlandaise cesse de tolérer ces établissements, qu'elle en arrête tous les gérants et les envoie bien loin de ceux qui désiraient la paix et l'amour dans le monde.

Ne trouvant pas le sommeil, il se mit à converser avec Dieu, ou avec un ange. Il alla jusqu'au placard où étaient ses affaires, ôta la clé qu'il portait autour du cou et prit un carnet dans lequel il aimait consigner quelques pensées et expériences. Néanmoins, il n'avait pas l'intention de transcrire tout ce que Ted lui avait raconté : il aurait du mal à écrire sur ce sujet à l'avenir. Il griffonna quelques mots que Dieu, s'imaginait-il, lui avait dictés :

> *Il n'y a aucune différence entre la mer et les vagues*
> *Quand la vague se forme, elle est faite d'eau*
> *Et quand elle se brise sur le sable, elle est faite de la même eau.*
> *Dis-moi Seigneur : pourquoi ces deux choses sont-elles égales ?*
> *Où sont le mystère et la limite ?*
> *Le Seigneur répond : toutes les choses et tous les gens sont égaux.*
> *Voilà le mystère et la limite.*

Lorsque Karla arriva, Paulo était déjà là. Il avait des cernes profonds, comme s'il avait passé une nuit blanche, ou si... elle préféra ne pas penser à la seconde éventualité, qui signifierait qu'elle ne pourrait plus jamais lui faire confiance. Or, elle s'était déjà habituée à sa présence et à son odeur...

« Alors, on va voir un des emblèmes des Pays-Bas aujourd'hui, un moulin à vent ? »

Maussade, il se leva et la suivit en silence. Ils prirent un autobus et sortirent d'Amsterdam. Karla lui conseilla d'acheter un ticket à la machine installée dans le véhicule, mais il l'ignora ; il avait mal dormi, il était lassé de tout, il avait besoin de récupérer. Peu à peu, il retrouva quelques forces.

Le paysage était uniforme : des plaines immenses, entrecoupées de digues, de ponts levants sur des canaux où passaient des barges transportant des marchandises. Aucun moulin à vent en vue, mais il faisait jour et le soleil était de retour, un fait rare que Karla ne put s'empêcher de relever : il pleuvait toujours aux Pays-Bas.

« Hier soir j'ai écrit quelque chose », déclara Paulo en tirant son carnet de sa poche.

Il lut à voix haute puis, voyant qu'elle ne faisait aucun commentaire, changea de sujet.

« Où est la mer ?

— Par là. Un vieux proverbe dit : "*Dieu a fait le monde et les Hollandais ont fait la Hollande.*" Elle est loin, on ne peut pas voir le moulin à vent et la mer le même jour.

— Non, je ne veux pas voir la mer. Ni le moulin à vent d'ailleurs. Je suppose que c'est un truc qui enchante les touristes, mais moi je ne voyage pas pour ça, tu dois t'en douter.

— Et pourquoi ne pas me l'avoir dit tout à l'heure ? J'en ai marre de faire toujours le même trajet pour montrer à mes amis étrangers un truc qui n'a même plus sa fonction d'origine. On aurait pu rester en ville... »

... et aller directement au point de vente des billets de bus, songea-t-elle. Mais elle garda cette pensée pour elle, il fallait ferrer le poisson au bon moment.

« Si je n'ai rien dit sur le moment c'est que... »

... Et malgré lui il déballa toute l'histoire de la Maison du Soleil Levant.

Karla l'écoutait, soulagée et anxieuse à la fois. Sa réaction n'était-elle pas extrême ? Était-il de ces gens qui passent de l'euphorie à la dépression et *vice versa* ?

Quand il eut terminé, il se sentit mieux. Elle l'avait écouté en silence et sans le juger. Visiblement, elle ne trouvait pas qu'il avait jeté 5 000 dollars à la poubelle. Ni qu'il était faible – et à cette seule pensée il se sentit plus fort.

Ils arrivèrent enfin devant le moulin à vent, où un groupe de touristes écoutait un guide : « Le plus vieux se trouve à – nom imprononçable –, le plus haut est à – nom imprononçable. L'énergie de ces moulins servait à moudre le maïs, les grains de café, les fèves de cacao, à produire de l'huile, à transformer de grandes planches de bois pour construire des navires grâce auxquels nos navigateurs sont allés très loin et ont agrandi l'Empire… »

Paulo entendit le bus redémarrer, prit Karla par la main et demanda à rentrer tout de suite en ville. Dans deux jours, ni lui ni les touristes ne se souviendraient de ce à quoi servait un moulin à vent. Il ne voyageait pas pour apprendre ce genre de choses.

Sur le chemin du retour, à l'un des arrêts, une femme monta, enfila un brassard indiquant « Contrôle » et commença à vérifier les tickets des passagers. Quand le tour de Paulo arriva, Karla tourna la tête à l'opposé.

« Je n'en ai pas, dit-il. Je pensais que c'était gratuit. »

La femme devait avoir entendu ce genre d'excuses souvent. Sa réponse bien rodée ressemblait à une réplique apprise par cœur : les Pays-Bas étaient très généreux, certes, mais seuls des gens au quotient intellectuel très bas pouvaient penser que les transports y étaient gratuits.

« Vous avez déjà vu ça quelque part dans le monde ? »

Bien sûr que non, mais il n'avait jamais vu non plus... un coup de pied discret de Karla le fit taire. Il paya donc son amende, d'un montant vingt fois supérieur au prix du ticket, sans rechigner, sous les regards accusateurs des autres passagers, calvinistes, honnêtes, respectueux de l'ordre et qui n'avaient pas du tout l'air de fréquenter le Dam ni ses alentours.

Quand ils descendirent de l'autobus, Paulo se sentit mal à l'aise : était-il en train d'imposer sa présence à cette fille toujours aussi gentille, bien que déterminée à obtenir ce qu'elle voulait ? N'était-ce pas le moment de lui dire au revoir et de la laisser suivre son chemin ? Ils se connaissaient à peine et avaient déjà passé plus de vingt-quatre heures ensemble, collés l'un à l'autre, comme si c'était normal.

Karla dut lire dans ses pensées, car elle l'invita à l'accompagner jusqu'à l'agence où elle achèterait son billet de bus pour le Népal.

De bus !

C'était de loin l'idée la plus folle qu'il puisse imaginer.

L'agence en question était un bureau minuscule, où travaillait un seul employé, qui se présenta comme Lars Quelque Chose, un de ces noms impossibles à retenir.

Karla lui demanda quand partait le prochain Magic Bus.

« Demain. Il ne reste que deux places et elles seront sans doute prises. Dans le cas contraire, quelqu'un nous arrêtera sur la route pour embarquer avec nous. »

Bon, il allait bien falloir qu'elle arrête de tourner autour du pot...

« Et ce n'est pas dangereux de voyager seule, en tant que femme ?

— Je ne pense pas que vous resterez seule plus d'une journée. Bien avant d'arriver à Katmandou, vous aurez fait tourner les têtes de tous les passagers de sexe masculin. Vous ainsi que les autres femmes qui voyagent seules. »

Curieusement, Karla n'avait jamais pensé à cette éventualité. Elle avait perdu beaucoup de temps à chercher de la compagnie auprès d'une série de garçons lâches qui n'étaient prêts à découvrir que ce qu'ils connaissaient déjà et pour qui même l'Amérique latine devait représenter une menace. En fin de compte la liberté, pour eux, c'était d'être à une distance raisonnable des jupons de leur mère. Elle perçut avec satisfaction que Paulo s'efforçait de dissimuler son agitation.

« Je voudrais un billet aller. Je penserai au retour plus tard.

— Jusqu'à Katmandou ? »

En effet, le Magic Bus marquait plusieurs arrêts pour prendre ou laisser des passagers : Munich, Belgrade, Athènes, Istanbul, et enfin Téhéran ou Bagdad, selon la route qui était ouverte.

« Jusqu'à Katmandou.

— Vous n'avez pas envie de découvrir l'Inde ? »

Paulo remarqua que Karla et Lars se faisaient les yeux doux. Et après ? Elle n'était pas sa petite amie, juste une nouvelle connaissance, gentille certes, mais distante.

« Non. Combien coûte le billet pour le Népal ?

— 70 dollars. »

Soixante-dix dollars, pour aller à l'autre bout du monde ? Mais de quel genre de bus s'agissait-il ?

Paulo ne croyait pas un mot de cette conversation.

Karla sortit l'argent de sa ceinture et le remit à « l'agent de voyages ». Le Lars en question remplit un reçu identique à ceux des restaurants, sans autre identification que le nom de la personne, le numéro de son passeport et sa destination finale. Puis il apposa sur la feuille des tampons qui ne voulaient absolument rien dire, mais qui donnaient au billet un air respectable. Enfin, il le remit à Karla avec une carte du trajet.

« Il n'y a pas de remboursement en cas de frontières fermées, de catastrophes naturelles, de conflits armés sur le chemin et autres incidents de ce type. »

Elle comprenait parfaitement.

« Et quand part le prochain Magic Bus ? intervint Paulo, sortant de son mutisme et oubliant sa mauvaise humeur.

— Ça dépend. Nous ne sommes pas une ligne régulière de transport, comme vous pouvez l'imaginer. »

La voix de Lars était légèrement hostile, il le traitait comme un imbécile.

« Je sais bien, mais vous n'avez pas répondu à ma question.

LOVE

méran Kaboul Delhi Katmandou

— En principe, si tout se passe bien, Cortez doit arriver ici dans deux semaines avec son autocar. Le temps de se reposer, et il reprendra la route avant la fin du mois. Mais je ne peux pas le garantir. Cortez, comme plusieurs de nos chauffeurs... »

Sa façon de dire « nos » laissait entendre qu'il s'agissait d'une grande compagnie, chose qu'il avait niée deux minutes plus tôt.

« ... se lassent de faire toujours le même trajet, et comme ils sont maîtres de leurs véhicules, Cortez peut choisir de repartir pour Marrakech, par exemple. Ou pour Kaboul. Il m'en parle tout le temps. »

Karla prit congé, non sans lancer auparavant une belle œillade au Suédois.

« Si je n'étais pas si occupé, je me serais proposé comme chauffeur ! lança ce dernier pour répondre au salut silencieux de Karla. Comme ça, on aurait pu faire connaissance... »

Il était évident que pour lui, l'homme qui accompagnait Karla n'existait pas.

« Nous aurons d'autres occasions. À mon retour, on pourra prendre un café et voir comment ça évolue entre nous. »

Quittant son ton arrogant de maître du monde, Lars ajouta, en guise de réponse, une précision qui les surprit tous les deux.

« Si vous revenez... Ceux qui partent là-bas finissent par y rester, du moins pour deux ou trois ans. En tout cas, c'est ce que racontent les chauffeurs.

— À cause des enlèvements ? Des agressions ?

— Pas du tout. On surnomme Katmandou "Shangri-la", la vallée du paradis. À partir du moment où on s'habitue à l'altitude, on y trouve tout ce dont on a besoin dans la vie. Et l'envie de revenir vivre en ville passe très vite. »

Il lui remit une autre carte indiquant les arrêts.

« Demain à 11 heures pile, ici. Les retardataires restent sur le carreau.

— Mais ce n'est pas un peu tôt ?

— Vous aurez tout le temps de dormir dans le bus. »

Karla, qui était obstinée et déterminée, avait décidé la veille, en retrouvant Paulo sur le Dam et lors des balades suivantes, qu'il devait venir avec elle au Népal. Elle aimait sa compagnie, bien qu'ils n'aient passé qu'un peu plus de vingt-quatre heures ensemble. Elle se complaisait dans l'idée que jamais elle ne tomberait amoureuse de ce Brésilien : elle éprouvait déjà une étrange attirance pour lui et devait s'en détacher au plus tôt. Or elle considérait qu'il n'y avait rien de mieux que de partager le quotidien d'un être qui nous plaît pour que ses charmes se dissipent en moins d'une semaine.

Si elle partait seule et laissait à Amsterdam cet homme qu'elle trouvait idéal, le voyage serait complètement gâché par son souvenir constant. Et si elle continuait à laisser grandir dans sa tête l'image de cet homme idéal, elle ferait demi-tour à mi-chemin et finirait par l'épouser, ce qui n'était pas du tout dans ses projets pour cette incarnation-là. Ou alors il s'en retournerait à sa terre lointaine, exotique, pleine d'Indiens et de serpents dans les rues des grandes villes – en réalité elle tenait cette dernière partie pour une légende, de l'acabit des nombreuses histoires qui circulaient sur son propre pays.

Donc, pour elle, Paulo était juste le bon compagnon au bon moment. Elle n'avait pas la moindre intention de faire de son voyage au Népal un cauchemar, ni de refuser les propositions des uns et des autres. Elle était déterminée à partir : c'était une aventure des plus folles, bien au-delà de ses limites, pour elle qui avait été élevée presque sans aucune limite.

Jamais elle ne suivrait les Hare Krishna dans les rues, jamais elle ne se laisserait mener par le bout du nez par les gourous indiens qu'elle avait rencontrés, et qui ne savaient qu'enseigner à « faire le vide dans son esprit ». Comme si un esprit vide, complètement vide, permettait de se rapprocher de Dieu. Depuis ses premières expériences (frustrées) en ce sens, elle préférait se passer d'intermédiaire dans sa relation avec la Divinité, qu'elle craignait et adorait à la fois. Tout ce qui l'intéressait était la solitude et la beauté, le contact direct avec Dieu, et surtout une distance de sécurité entre elle et un monde qu'elle avait bien connu et qui ne l'intéressait plus.

N'était-elle pas un peu jeune pour agir et penser de la sorte ? Elle pourrait toujours changer d'idée plus tard, mais comme elle l'avait dit à Wilma au *coffee-shop*, le paradis – tel que le concevaient les Occidentaux – était sans intérêt, répétitif et ennuyeux à mourir.

*

Paulo et Karla s'assirent à la terrasse d'un bar qui ne servait que du café et des biscuits, à la différence des *coffee-shops*. Ils tournèrent le visage vers le soleil (encore une belle journée après la pluie de la nuit dernière), conscients que cette bénédiction pouvait disparaître d'un instant à l'autre. Ils n'avaient pas échangé un mot depuis la sortie de l'« agence de voyages », ce bureau dont la taille avait aussi surpris Karla, qui s'attendait à trouver des locaux plus professionnels.

« Alors…

— … alors, compléta Paulo, c'est peut-être le dernier jour que nous passons ensemble. Toi tu vas vers l'est et moi vers l'ouest…

— Oui, à Piccadilly Circus, où tu trouveras une copie de tout ce que tu as vu ici, avec pour seule différence le centre de la place. Bon, mais la statue de Mercure doit être beaucoup plus belle que le symbole phallique du Dam, non ? »

Karla l'ignorait, mais depuis leur passage à l'« agence », Paulo mourait d'envie de l'accompagner, ou plus exactement de découvrir des lieux que l'on ne voit qu'une fois dans sa vie, le tout pour seulement 70 dollars. Il refusait d'accepter l'idée qu'il était en train de tomber amoureux de la jeune femme, simplement parce que ce n'était pas une véritable idée, juste une possibilité. Jamais il ne s'éprendrait de quelqu'un qui ne manifestait aucun désir de lui rendre son amour.

Il se mit à étudier la carte : ils traverseraient les Alpes, puis au moins deux pays communistes, avant d'arriver au premier pays musulman qu'il visiterait de sa vie, la Turquie. Une contrée sur laquelle il avait lu tant de choses au cours de ses recherches sur les derviches qui tournaient et dansaient et recevaient les esprits. Il avait même assisté au spectacle d'un groupe en tournée au Brésil, dans le théâtre le plus chic de la ville. Toutes ces informations issues des livres, qui n'avaient jamais quitté le cadre des pages, pourraient devenir réalité.

Pour 70 dollars. En compagnie de gens qui avaient eux aussi le goût de l'aventure.

Oui, Piccadilly Circus n'était qu'une place circulaire bondée de gens aux tenues multicolores, dans un pays où les policiers ne portaient pas d'armes, où les bars fermaient à 11 heures du soir, et dont l'intérêt se limitait à quelques balades jusqu'à des monuments historiques ou autres attractions.

Au bout de quelques minutes, il avait pris sa décision : une aventure est bien plus intéressante qu'une place. Selon les anciens, les changements sont permanents et constants, parce que la vie est courte et que le temps passe vite. Si tout était immuable, il n'y aurait pas d'univers.

Pouvait-on changer d'avis aussi vite ?

Nombreuses sont les émotions qui meuvent le cœur humain quand il choisit le chemin de la spiritualité. Son motif peut être noble : la foi, l'amour de son prochain ou la charité. Ou bien il peut se résumer à un caprice, à la peur de la solitude, à la curiosité ou à l'envie d'être aimé.

Mais rien de tout cela n'a d'importance. La véritable voie spirituelle est plus forte que les raisons qui nous ont conduits à elle. Peu à peu elle s'impose, avec amour, discipline et dignité. Il arrive un moment où l'on regarde en arrière et où l'on se rappelle le début de son voyage : alors on rit de soi-même. On a été capable de grandir, même si on a parcouru tout ce chemin pour des raisons jugées importantes, mais en réalité très futiles. On a été capable de changer de route au moment où c'était essentiel.

L'amour de Dieu est plus fort que les raisons qui nous ont conduits à Lui. Paulo y croyait de toute la force de son âme. Le pouvoir de Dieu est avec nous à chaque instant. Il faut du courage pour le laisser se manifester dans notre esprit, nos sens, notre souffle ; il faut du courage pour changer d'avis quand on se rend compte que l'on n'est qu'un simple instrument de Sa volonté, et que c'est Sa volonté qu'il faut suivre.

*

« Je suppose que tu veux que je te réponde non, vu que depuis hier, au Paradiso, tu me tends un piège.

— Tu es fou !

— Toujours. »

Oui, elle avait très envie qu'il l'accompagne, mais connaissant bien la façon de penser des hommes, elle ne pouvait rien dire. Si elle acquiesçait, il se sentirait en position de force ou pire, de faiblesse. Il avait à présent compris tout son petit jeu, qu'il venait d'appeler « piège ».

« Réponds à ma question : tu veux que je vienne ?

— Peu m'importe. »

S'il te plaît, viens ! Pas parce que tu es un garçon particulièrement intéressant, à mon avis le Suédois de tout à l'heure était bien plus ferme et déterminé. Mais parce que avec toi je me sens mieux. Et j'ai été très fière de toi quand tu as suivi mon conseil et sauvé un grand nombre d'âmes en décidant de ne pas convoyer l'héroïne jusqu'en Allemagne.

« Peu t'importe ? Ça veut dire que ça t'est égal ?

— Exactement.

— Et dans ce cas, si je me lève d'ici dans la minute pour retourner à l'agence et acheter le dernier billet, ça ne te fera pas plus ou moins plaisir ? »

Elle le regarda dans les yeux et lui sourit. Elle espérait que son sourire avouerait tout : qu'elle était très contente qu'il devienne son compagnon de voyage, mais qu'elle ne pouvait ni ne parvenait à l'exprimer par des mots.

« C'est toi qui paies les cafés, déclara-t-il en se levant. J'ai déjà dépensé une fortune avec l'amende dans l'autobus. »

Paulo avait lu son sourire. Désireuse de cacher sa joie, elle rétorqua la première chose qui lui passait par la tête :

« Ici les femmes partagent toujours la note. Nous n'avons pas été élevées comme des objets sexuels. Et tu as pris une amende parce que tu ne m'as pas écoutée. Mais OK, je ne veux pas que tu m'écoutes et aujourd'hui c'est moi qui paie l'addition. »

Paulo pesta intérieurement. *Quelle femme pénible ! Elle a des idées toutes faites sur tout…* Pour être franc, il adorait sa façon d'affirmer son indépendance à la moindre occasion.

Tandis qu'ils retournaient à l'agence, il lui demanda si elle croyait vraiment possible d'aller jusqu'au Népal, un pays si lointain, avec un billet si bon marché.

« Il y a quelques mois j'avais des doutes, même après avoir vu l'annonce des bus pour l'Inde, le Népal ou l'Afghanistan, qui coûtaient toujours entre 70 et 100 dollars. Et puis j'ai lu dans l'*Ark*, un journal alternatif, le récit de quelqu'un qui est parti et revenu comme ça, et depuis je meurs d'envie de faire comme lui. »

Elle se garda bien d'ajouter qu'elle pensait seulement à partir, pour ne revenir que dans de nombreuses années. Paulo risquait de ne pas apprécier l'idée de parcourir seul les milliers de kilomètres du trajet de retour.

Mais il devrait s'adapter – vivre, c'est s'adapter.

Le fameux Magic Bus n'avait rien de magique et ne correspondait en rien aux affiches de l'agence, qui représentaient une carrosserie bariolée, recouverte de dessins et de belles phrases. Ce n'était qu'un ancien car de transport scolaire, aux sièges non inclinables et muni d'une galerie sur le toit, où étaient accrochés des bidons d'essence et des roues de secours.

Le chauffeur réunit les passagers : ils étaient peut-être une vingtaine et tous semblaient sortir du même film, malgré des âges variables, allant de probables mineures en fugue (c'était le cas de deux jeunes filles, et aucun papier d'identité ne leur fut demandé) à un homme d'âge mûr qui maintenait son regard sur l'horizon, comme s'il avait déjà atteint l'illumination tant espérée et avait à présent décidé de faire une promenade, une longue promenade.

Il y avait deux chauffeurs : un qui parlait avec un accent anglais et l'autre qui avait l'air d'un Indien ou peut-être d'un Arabe.

« Bien que je déteste les règles, nous allons devoir nous plier à quelques-unes. La première : pas de drogues dans le bus après le passage de la frontière. Dans certains pays, ça équivaut à la prison, mais dans d'autres, comme en Afrique, ça peut vouloir dire la mort par décapitation. J'espère que le message est bien reçu. »

Le chauffeur s'interrompit pour le vérifier. Cette fois, les passagers avaient bel et bien l'air de s'être réveillés.

« En bas, dans la soute, j'ai des bidons d'eau et des rations de l'armée. Chaque ration comprend de la viande en purée, des biscuits, des barres de céréales aux fruits, une barre de chocolat avec des noix ou du caramel, du jus d'orange en poudre, du sucre, du sel. Préparez-vous à manger froid pendant une bonne partie du voyage, après la traversée de la Turquie. »

« Les visas sont délivrés aux frontières : ce sont des visas de transit. Ils sont payants, mais en général pas très chers. Dans certains pays, il est interdit de sortir du bus, comme en Bulgarie, qui est un régime communiste. Alors faites vos besoins avant la frontière, je ne m'arrêterai pas. »

Le chauffeur consulta sa montre.

« C'est l'heure. Prenez votre bagage à l'intérieur, avec vous. J'espère que vous avez des sacs de couchage. Nous nous arrêtons de nuit, parfois dans des stations-services que je connais, la plupart du temps dans la campagne, près de la route. Quand c'est impossible, comme à Istanbul, en Turquie, nous descendons dans des hôtels bon marché.

— Est-ce qu'on peut mettre nos sacs sur le toit pour avoir plus d'espace pour nos jambes ?

146

— Bien sûr. Mais ne vous étonnez pas s'ils disparaissent lors d'une pause-café. Au fond du bus, il y a de la place pour les bagages. Un seul par personne d'ailleurs, c'est écrit au verso de la carte. Et l'eau potable n'est pas comprise dans le prix du billet, alors j'espère que chacun a apporté sa bouteille. Vous pourrez toujours la remplir aux stations-services.

— Et s'il arrive quelque chose ?

— Comment ça ?

— Si quelqu'un tombe malade, par exemple.

— J'ai un kit de premiers secours. Mais comme son nom l'indique, ce sont des *premiers* secours. Le minimum pour parvenir à une ville et y laisser le malade. Donc prenez soin, bien soin, de votre corps, autant que vous croyez le faire avec votre âme. Je suppose que tout le monde est vacciné contre la fièvre jaune et la variole. »

Paulo avait le premier vaccin : tous les Brésiliens devaient l'avoir pour pouvoir quitter le pays, les étrangers les croyaient sans doute infectés par un tas de maladies. Mais il n'était pas vacciné contre la variole : chez lui, on prétendait que si on avait eu la rougeole, une maladie plutôt infantile, on était immunisé.

Quoi qu'il en soit, le chauffeur ne demanda de certificat médical à personne. Les voyageurs montèrent et s'installèrent. Plus d'un posa son sac sur le siège voisin, mais le chauffeur le confisqua aussitôt pour le jeter au fond du bus.

« D'autres passagers vont embarquer en chemin, bande d'égoïstes. »

Les filles qui semblaient mineures et avaient probablement de faux passeports s'assirent côte à côte. Paulo et Karla se mirent ensemble et organisèrent rapidement un système de rotation pour être du côté de la fenêtre. Elle proposa d'échanger toutes les trois heures et de rester près de la fenêtre durant la nuit, s'ils arrivaient à bien dormir. Il trouva sa proposition immorale et injuste, parce qu'elle aurait un endroit où appuyer sa tête, elle. Ils décidèrent finalement d'y passer la nuit à tour de rôle.

Le départ fut donné et le bus scolaire, transformé en un autocar romantique par la grâce d'un simple nom, Magic Bus, entama son voyage de plusieurs milliers de kilomètres qui allait les mener à l'autre bout du monde.

« Pendant que le chauffeur parlait, je n'avais pas du tout l'impression de partir à l'aventure, mais au service militaire obligatoire au Brésil », confia Paulo à sa compagne.

Il se souvint alors de la promesse qu'il s'était faite en descendant les Andes en bus, et des nombreuses fois où il ne l'avait pas respectée.

Cette remarque agaça Karla, mais elle ne pouvait ni se disputer avec lui ni changer de place au bout de cinq minutes de voyage. Elle sortit son livre de son sac à main et plongea le nez dedans.

« Alors, tu es contente de partir là où tu avais tellement envie d'aller ? Au fait, le type de l'agence nous a menti, il y a encore des places libres.

— Il ne nous a pas menti : tu l'as bien entendu, d'autres passagers vont monter en chemin. Et je ne vais pas là où j'avais tellement envie d'aller : j'y retourne. »

Paulo ne comprit pas sa réponse, qu'elle n'expliqua pas davantage, et il décida de la laisser tranquille et de se concentrer sur l'immense plaine alentour, entrecoupée de canaux dans tous les sens.

Pourquoi Dieu a-t-il fait le monde et les Hollandais ont-ils fait la Hollande ? N'y a-t-il pas assez d'autres terres habitables sur cette planète ?

*

Deux heures plus tard, ils avaient déjà tous sympathisé, ou du moins s'étaient présentés les uns aux autres, puisqu'un groupe d'Australiens, bien qu'avenants et souriants, n'avait visiblement pas très envie de discuter. Karla non plus ; elle faisait semblant de lire ce livre dont elle avait déjà oublié le nom, et pensait en réalité à sa destination, à l'arrivée dans l'Himalaya, alors qu'il y avait encore des milliers de kilomètres à parcourir. Paulo connaissait par expérience l'impatience que l'on peut éprouver dans un tel cas, mais il ne dit rien : tant qu'elle ne déchargeait pas sa mauvaise humeur sur lui, tout allait bien. Dans le cas contraire, il changerait de place.

Derrière eux étaient assis deux Français, un père et sa fille, qui semblait névrosée mais enthousiaste. À côté, un couple d'Irlandais. Le garçon s'était présenté tout de suite et en avait profité pour leur apprendre que c'était son second voyage, et que cette fois il emmenait son amoureuse parce que, d'après lui, Katmandou, « si nous y arrivons, bien sûr », était un lieu où il fallait rester au moins deux ans. Il en était rentré plus tôt à cause de son travail, mais cette fois-ci il avait tout lâché, vendu sa collection de voitures miniatures, empoché un bon paquet d'argent (*Tiens, une collection de voitures miniatures vaut vraiment de l'argent ?* s'interrogea Paulo), rendu son appartement et exigé de sa petite amie qu'elle l'accompagne. Il arborait un large sourire.

Karla entendit « un lieu où il faudrait rester au moins deux ans » et interrompit son simulacre de lecture pour demander pour quelle raison.

Ryan, c'était son nom, expliqua qu'au Népal il s'était senti hors du temps, dans une réalité parallèle, où tout était possible. Mirthe, sa petite amie, qui n'était ni sympathique ni antipathique, n'avait pas l'air convaincue que ce pays soit l'endroit où elle devrait vivre ces prochaines années.

Mais l'amour, à l'évidence, était le plus fort.

« Que veux-tu dire par réalité parallèle ?

— Cet état d'esprit qui possède ton corps et ton âme quand tu te sens heureux, le cœur plein d'amour. Soudain, tout ce qui fait partie de ton quotidien prend un sens différent, les couleurs deviennent plus brillantes, et ce qui t'embêtait avant – comme le froid, la pluie, la solitude, les études, le travail –, tout paraît nouveau. Parce que en une fraction de seconde, tu es entré dans l'âme de l'univers et tu t'es régalé du nectar des dieux. »

L'Irlandais semblait content d'avoir à expliquer par des mots ce qui ne pouvait être éprouvé qu'en le vivant. Sa compagne n'avait pas l'air de beaucoup apprécier sa conversation avec la belle Karla : elle entrait en ce moment dans une réalité parallèle opposée, celle qui fait que tout, d'un instant à l'autre, paraît laid et oppressant.

« Il y a l'autre face aussi, quand de petits détails du quotidien se changent en de grands problèmes inexistants, poursuivit Ryan comme s'il n'avait pas remarqué la jalousie de sa petite amie. Il n'y a pas une, mais de nombreuses réalités parallèles. On est dans ce bus parce qu'on l'a choisi, on a des milliers de kilomètres devant nous et on peut décider comment on va voyager : en quête d'un rêve qui semblait impossible jusque-là, ou en se focalisant sur les sièges inconfortables et les passagers qui nous déplaisent. Tout ce qu'on imaginera maintenant se manifestera pendant le reste du voyage. »

Mirthe fit semblant de ne pas avoir compris le message.

« Quand j'étais au Népal pour la première fois, j'avais l'impression d'avoir un accord avec l'Irlande, un accord qui n'avait pas été rompu. J'entendais sans cesse une voix me répéter : "Vis ce que tu as à vivre maintenant, profite de chaque seconde parce que tu vas bientôt rentrer chez toi. Et n'oublie pas de prendre des photos pour montrer à tes amis que tu as été brave et courageux, que tu as vécu des expériences qu'ils aimeraient vivre, s'ils en avaient le courage."

» Jusqu'à ce qu'un jour, j'aille visiter une grotte dans l'Himalaya avec un groupe. À notre plus grande surprise, dans un lieu où pratiquement rien ne pousse, il y avait une petite fleur, de la taille d'un demi-doigt environ. Nous y avons vu un miracle, un signe, et pour marquer notre respect nous nous sommes donné la main et nous avons récité un mantra. En quelques secondes, la grotte s'est mise à vibrer, nous ne sentions plus le froid, les montagnes lointaines s'étaient rapprochées. Pourquoi ? Parce que les gens qui avaient vécu là avaient laissé une vibration d'amour presque palpable, capable d'atteindre tout être ou toute chose qui y entrerait. Comme cette graine de fleur que le vent avait apportée. Comme si l'envie, l'immense envie que nous avions de voir le monde devenir meilleur prenait forme et atteignait tout. »

Mirthe devait avoir entendu cette histoire souvent, mais Paulo et Karla suivaient les paroles de Ryan avec fascination.

« Je ne sais pas combien de temps ça a duré, mais quand nous sommes retournés au monastère où nous logions, nous avons raconté notre aventure et, d'après les moines, un homme qu'on considérait comme un saint avait vécu dans cette grotte. Ils ont ajouté que le monde était en train de changer et que toutes les passions, quelles qu'elles soient, allaient s'intensifier. La haine serait plus forte et plus destructrice, et l'amour se montrerait plus éclatant. »

Le chauffeur l'interrompit : ils étaient censés rouler vers le Luxembourg et y passer la nuit, mais comme il supposait que personne n'avait le grand-duché pour but, il proposait de continuer le voyage, de dormir plus tard dans la rosée du soir, près de Dortmund, en Allemagne.

« On va faire une halte d'ici peu pour manger un morceau et téléphoner au bureau, pour qu'ils disent aux prochains passagers de se préparer à embarquer dans l'heure. Si personne ne va au Luxembourg, on économisera de précieux kilomètres. »

Il fut largement applaudi. Mirthe et Ryan allaient regagner leurs places quand Karla les arrêta :

« Mais tu ne pourrais pas atteindre une réalité parallèle juste en méditant et en livrant ton cœur à la Divinité ?

— C'est ce que je fais tous les jours. Mais je pense aussi tous les jours à la grotte. À l'Himalaya. Aux moines. Je crois que mon passage dans ce qu'on appelle la "civilisation occidentale" est terminé. Je cherche une vie nouvelle. »

En plus, maintenant que le monde est effective-ment en train de changer, les émotions positives comme négatives vont jaillir avec beaucoup plus de force et moi, nous tous, d'ailleurs, nous ne sommes pas prêts à affronter les mauvais côtés de la vie.

« Rien ne nous y oblige », intervint Mirthe.

Elle prenait part à la conversation pour la première fois, prouvant qu'elle avait réussi à dépasser le poison de la jalousie en peu de temps.

Paulo, quelque part, savait tout cela. Il avait déjà vécu des situations similaires : le plus souvent, quand il avait pu choisir entre la vengeance et l'amour, il avait opté pour l'amour. Cela n'avait pas toujours été le bon choix, on l'avait parfois pris pour un lâche ; il s'était lui-même senti, à certains moments, davantage motivé par la peur que par l'envie sincère d'améliorer le monde. C'était un être humain avec toutes ses fragilités. Il ne comprenait pas tout ce qui lui arrivait dans la vie, mais il avait très envie de croire qu'il cherchait la lumière.

Pour la première fois depuis le départ, il comprit que c'était écrit. Il devait faire ce voyage, rencontrer ces gens, faire quelque chose qu'il avait pour habitude de prêcher, mais pas toujours le courage de réaliser : s'abandonner à l'Univers.

*

Peu à peu, les groupes se formèrent, parfois en raison d'une langue commune ou d'autres intérêts, l'attirance physique, par exemple. Tous apprenaient à se connaître et échangeaient sur leurs expériences respectives. Les cinq premiers jours passèrent donc vite, sauf pour les deux jeunes filles qui avaient peut-être quelque chose à se reprocher et se montraient indifférentes à tout et à tous précisément parce qu'elles croyaient (à tort) être le centre de l'attention générale. La monotonie n'avait ainsi pas le temps de s'installer à bord, d'autant que le quotidien était rythmé par les haltes dans les stations-services pour remplir les réservoirs du bus et les bouteilles d'eau, acheter un sandwich ou un soda, aller aux toilettes.

Les voyageurs passaient le reste du temps à bavarder, encore et encore.

Ils dormaient à la belle étoile, souffrant du froid la plupart du temps, mais heureux de pouvoir contempler le ciel tout en conversant avec le silence, de dormir en compagnie d'anges presque visibles, de cesser d'exister pendant quelques instants, même si ce n'était que des fractions de seconde, pour sentir l'éternité et l'infini autour d'eux.

Paulo et Karla s'étaient rapprochés de Ryan et Mirthe – à contrecœur, dans le cas de cette dernière, car elle avait déjà entendu cette histoire de réalités parallèles des dizaines de fois. Sa présence se résumait donc à exercer une surveillance permanente sur son compagnon pour ne pas avoir à rebrousser chemin à mi-parcours, faute d'avoir réussi une chose très simple : continuer à l'intéresser, même après quasiment deux ans passés avec lui.

Paulo aussi avait remarqué l'intérêt de l'Irlandais, qui à la première occasion les interrogea sur la nature de leur relation. Karla répondit d'un trait :

« Aucune.

— Bons amis ?

— Même pas. Juste compagnons de voyage. »

Et après, était-ce faux ? Paulo décida d'accepter les choses telles qu'elles étaient et de mettre de côté un romantisme assurément hors de propos. Ils étaient comme deux marins naviguant vers quelque pays ; bien qu'occupant la même cabine, l'un dormait sur la couchette du haut et l'autre sur celle du bas.

Plus Ryan s'intéressait à Karla, plus Mirthe devenait agitée, furieuse – sans rien en montrer, bien sûr, car cela aurait été un signe inacceptable de soumission. Et elle se rapprochait de Paulo, s'asseyant à côté de lui quand ils discutaient et posant parfois sa tête sur son épaule, tandis que Ryan racontait tout ce qu'il avait appris depuis son retour de Katmandou.

« Que c'est beau ! »

Au bout de six jours de voyage, le temps s'étira et l'animation laissa place à l'ennui, s'emparant du bus tout entier. Maintenant que les voyageurs s'étaient tout raconté, il ne se passait presque plus rien à leurs yeux. Le quotidien se résumait à manger, dormir à la belle étoile, chercher une position plus confortable sur son siège, ouvrir et fermer les vitres pour chasser la fumée des cigarettes, et s'ennuyer de ses propres histoires et de celles des autres – qui ne perdaient jamais une occasion de lancer une petite pique ici ou là, comme le font toujours, du reste, les êtres humains réunis en troupeau, même quand il s'agit d'un petit troupeau débordant de bonnes intentions comme celui-ci.

*

Jusqu'à ce qu'apparaissent les montagnes. Et la vallée. Et la rivière qui coulait au fond du défilé. À la question de l'un d'eux, le chauffeur indien répondit qu'ils venaient d'entrer en Autriche.

157

« On va descendre et s'arrêter près de la rivière, pour se baigner. Rien de tel que l'eau glacée pour rappeler aux gens qu'ils ont du sang dans les veines et des idées bonnes pour la poubelle. »

La perspective de la nudité complète, de la liberté absolue, du contact sans intermédiaire avec la nature, remit tout le monde de bonne humeur.

Le bus s'engagea sur une route pierreuse et commença à tanguer, provoquant des cris de peur chez certains passagers qui craignaient qu'il ne se renverse, et les rires du chauffeur. Ils parvinrent enfin au bord de la rivière, ou plutôt d'un bras de la rivière qui sortait de son lit, décrivait une petite courbe aux eaux plus calmes et retournait dans le courant principal.

« Vous avez une demi-heure. Profitez-en pour laver vos affaires. »

Tout le monde se précipita sur son sac. Tous avaient dans leur bagage une petite serviette de toilette, une brosse à dents et des morceaux de savon, vu qu'ils finissaient toujours par camper au lieu d'aller à l'hôtel.

« C'est drôle cette légende qui raconte que les hippies ne se lavent pas. On est peut-être bien plus propres que la plupart des bourgeois qui nous accusent.

— Qui nous accuse ? Mais qu'est-ce que ça peut bien faire ? Le simple fait d'admettre les critiques donne du pouvoir à celui qui les lance. »

L'auteur de cette remarque sentit les regards furieux se braquer sur lui : ils n'avaient jamais prêté la moindre attention à ce que les autres disaient. C'était à demi vrai, car ils aimaient se distinguer par leurs tenues et leurs fleurs, leur sensualité provocatrice et affichée à chaque pas, les décolletés des filles qui suggéraient des seins sans soutien-gorge, et ainsi de suite. Et les jupes longues aussi, qui étaient plus sensuelles et plus élégantes – c'était du moins ce que les stylistes collectifs, dont personne ne connaissait le nom, avaient décrété. Pour elles d'ailleurs, l'impudeur n'était pas un moyen d'attirer les hommes, mais de montrer à tous qu'elles étaient fières de leur corps.

Ceux qui n'avaient pas de serviette prirent un t-shirt, une chemise, un sweat-shirt, bref, toute pièce de tissu permettant de s'essuyer. Puis ils descendirent et se déshabillèrent complètement en marchant vers l'eau – sauf, bien sûr, les deux très jeunes filles, qui gardèrent leur petite culotte et leur soutien-gorge.

Le vent s'engouffrait dans le défilé et le chauffeur précisa qu'à cet endroit, grâce au courant d'air, tout sécherait plus vite.

« C'est pour ça que j'ai choisi de faire halte ici. »

Depuis la route, personne ne pouvait voir ce qui se passait en contrebas. Les montagnes barraient le soleil, mais l'endroit était si beau – des rochers de part et d'autre, des pins s'y accrochant, des pierres polies par des siècles d'érosion – qu'ils se jetèrent d'emblée dans l'eau froide, sans réfléchir, en criant et en s'éclaboussant. Ce moment de communion entre les différents groupes qui s'étaient formés semblait signifier : « Nous appartenons à un monde qui déteste être à l'arrêt et c'est pourquoi nous vivons sur les routes. »

« Si nous nous taisons tous pendant une heure, nous allons commencer à entendre Dieu, se dit alors Paulo. Mais si nous crions de joie, Il nous entendra aussi et viendra nous bénir. »

Les deux chauffeurs, qui devaient avoir l'habitude de voir les corps dévêtus de jeunes dépourvus de toute pudeur, laissèrent le groupe se baigner et entreprirent de vérifier la pression des pneus et les niveaux.

C'était la première fois que Paulo voyait Karla nue et il dut se contrôler pour ne pas avoir un accès de jalousie. Elle avait une poitrine magnifique, comme le mannequin de la séance photo sur le Dam – enfin non, elle était plus belle, bien plus belle.

Mais la vraie reine, c'était Mirthe, avec ses longues jambes, ses proportions parfaites, une déesse tombée dans une vallée quelconque au beau milieu des Alpes autrichiennes. Elle sourit à Paulo en remarquant qu'il l'observait et il lui rendit son sourire, tout en sachant pertinemment que ce n'était qu'un jeu destiné à provoquer la jalousie de Ryan et à l'éloigner de la tentation néerlandaise. Mais c'est bien connu : un jeu sans arrière-pensée peut devenir réalité. Et Paulo se prit à en rêver et décida de miser davantage, dorénavant, sur cette femme qui, de son propre chef, se rapprochait peu à peu de lui.

Les voyageurs lavaient leurs habits. Les deux jeunes filles, qui feignaient de ne pas voir la vingtaine de personnes nues à côté d'elles, semblèrent tout à coup avoir trouvé un sujet de conversation passionnant. Paulo lava et essora sa chemise et son slip, il songea à laver aussi son pantalon et à enfiler celui qu'il avait dans son sac, avant de remettre ça au prochain bain collectif – les jeans c'était bon pour tout, sauf pour sécher vite.

Il remarqua ce qui paraissait être une petite chapelle sur l'un des sommets environnants, ainsi que des sillons dans la végétation, certainement creusés par des cours d'eau saisonniers qui coulaient au printemps, à la fonte des neiges. Ce n'étaient pour l'instant que des traits de sable qui couraient depuis la ligne de crête.

Le reste était un chaos absolu, un chaos de pierres noires mêlées à d'autres pierres, sans aucun ordre, sans aucune esthétique, ce qui les rendait particulièrement belles. Elles ne tentaient rien, pas même de s'organiser ou de se disposer de façon à mieux résister aux attaques constantes de la nature. Elles pouvaient être là depuis des millions d'années comme depuis seulement deux semaines. Des panneaux sur la route demandaient aux conducteurs de faire attention aux chutes de pierres. Ainsi, ces montagnes étaient encore en construction, elles étaient vivantes ; les pierres se cherchaient les unes les autres à la manière des êtres humains.

Et ce chaos si beau, source de vie, ressemblait à l'image qu'il se faisait de l'Univers, et des tréfonds de son âme. Cette beauté n'émanait pas de comparaisons, de prières ou de désirs, elle consistait simplement à vivre sa longue vie sous la forme de pierres ou d'arbres. Des arbres qui menaçaient de se détacher et de dégringoler, quand bien même ils étaient là depuis des temps immémoriaux, ayant poussé au milieu des roches qui les accueillaient.

« Il y a une église ou une chapelle là-haut », fit remarquer quelqu'un.

Oui, ils l'avaient tous vue ; et chacun s'apercevait à présent qu'il n'était pas le seul à l'avoir découverte et se demandait en silence si elle était habitée ou abandonnée depuis longtemps, et pourquoi ses murs étaient peints de blanc alors que les roches alentour étaient noires, et comment on avait réussi à atteindre ce nid d'aigle et à y bâtir un édifice. En fin de compte, cette chapelle détonnait dans le chaos originel.

Et ils restèrent plantés là à regarder les pins et les rochers, à chercher le plus haut sommet de ces montagnes qui les entouraient, avant d'enfiler leurs vêtements propres et de constater, une fois de plus, que le bain peut soigner bien des douleurs qui persistent à stagner dans notre esprit.

Et puis le klaxon retentit. C'était l'heure de reprendre le voyage – une réalité que la splendeur des lieux leur avait fait oublier.

Visiblement, Karla était obsédée par certains sujets.

« Mais qu'entends-tu par "réalité parallèle" ? C'est une chose d'avoir une illumination ou une révélation dans une grotte, c'en est une autre de parcourir des milliers de kilomètres pour y retourner. On peut faire des expériences spirituelles n'importe où, puisque Dieu est partout !

— Oui, Dieu est partout. Il m'accompagne quand je me promène dans la campagne autour de Dooradoyle, le berceau de ma famille depuis plusieurs siècles, ou quand je vais voir la mer à Limerick. »

Ils étaient dans un restaurant au bord de la route proche de la frontière avec la Yougoslavie, où était né et avait grandi un grand amour de Paulo. Jusque-là personne, pas même lui, n'avait eu de problème de visa. Mais comme ils allaient bientôt entrer dans un pays communiste, il était inquiet, bien que le chauffeur ait tenté de les rassurer : la Yougoslavie, contrairement à la Bulgarie, n'était pas derrière le rideau de fer. Mirthe était assise à côté de lui, Karla près de Ryan, et tous quatre affichaient un air détaché alors qu'ils se doutaient qu'un changement de couple était en vue. Mirthe avait précisé qu'elle n'avait pas l'intention de s'éterniser au Népal, et Karla avait déclaré qu'elle n'en reviendrait peut-être pas.

Ryan poursuivit :

« Quand je vivais à Dooradoyle, un coin que vous devriez découvrir un jour même s'il y pleut tout le temps, je me croyais destiné à y passer le restant de ma vie, comme mes parents qui n'étaient même pas allés visiter Dublin, la capitale de leur propre pays. Ou mes grands-parents qui habitaient à la campagne, et qui n'avaient jamais vu la mer et trouvaient que Limerick était une ville "trop grande". Pendant des années, j'ai suivi la voie qu'ils m'avaient tracée : l'école, travailler dans une épicerie, l'école, le rugby – nous avions une équipe locale qui, malgré ses efforts, n'a jamais réussi à passer en première division –, fréquenter l'église catholique comme mes parents et tous les Irlandais du Sud, alors qu'en Irlande du Nord la situation est plus complexe.

» Je n'étais pas mécontent de mon sort : je partais voir la mer le week-end, avant même d'avoir l'âge légal je buvais ma pinte de bière parce que je connaissais le patron du pub, et je me conditionnais à accepter les côtés déprimants de ma vie paisible et routinière, à avoir toujours sous les yeux ces rangées de maisons identiques, comme si elles avaient toutes été dessinées par le même architecte, sortir de temps en temps avec une fille que j'emmenais dans une grange en dehors du village, et découvrir le sexe sans joie, enfin, pas vraiment le sexe, plutôt les orgasmes, même si j'avais peur d'en pénétrer une et d'être puni par mes parents ou par Dieu.

» Dans les romans d'aventures, le personnage principal part à la poursuite de ses rêves dans des endroits invraisemblables, vit des moments difficiles, mais revient toujours en vainqueur pour raconter ses histoires de batailles sur les marchés, dans les théâtres ou dans les films – bref, partout où il trouve un public pour l'écouter. On lit le livre et on se dit : moi aussi, j'aurai un jour ce destin. Je finirai par conquérir le monde, je serai riche, je rentrerai chez moi en héros et tout le monde m'enviera et me respectera pour ma réussite. Les femmes souriront à mon passage, les hommes soulèveront leur chapeau en me priant de leur raconter pour la millième fois ce qui m'est arrivé dans telle ou telle situation, et comment j'ai pu saisir cette occasion unique qui m'a rapporté des millions de dollars. Mais tout ça, ça n'arrive que dans les livres... »

L'Indien qui faisait office de second chauffeur vint s'asseoir à leur table. Ryan continua son histoire.

« Un jour, comme la plupart des garçons de chez moi, je suis parti pour l'armée. Quel âge as-tu, Paulo ?

— Vingt-trois ans. Mais j'ai été dispensé de service militaire : mon père a obtenu que je sois placé dans ce que nous appelons "la troisième catégorie", c'est-à-dire la réserve des réservistes, et j'ai pu passer mon temps à voyager. Je crois que ça fait deux cents ans que le Brésil ne s'est pas engagé dans une guerre.

« — Moi, j'ai fait l'armée, intervint l'Indien. Depuis que nous avons obtenu l'indépendance, mon pays est sans cesse en guerre – non déclarée – avec son voisin. Tout ça à cause des Anglais.

— C'est toujours à cause des Anglais, renchérit Ryan. Ils occupent encore la partie nord de mon pays, et l'année dernière, alors que je rentrais de ce paradis qu'est le Népal, les tensions ont encore augmenté. Maintenant, l'Irlande est sur le pied de guerre depuis qu'il y a eu des heurts entre catholiques et protestants. Les Anglais y envoient des troupes.

— Continue ton histoire à toi, l'interrompit Karla. Comment t'es-tu finalement retrouvé au Népal ?

— De mauvaises influences », lança Mirthe en riant.

Ryan rit lui aussi.

« Tu as raison. Les gens de ma génération grandissaient et mes camarades d'école se mettaient à émigrer en Amérique, où la communauté irlandaise est très importante et où tout le monde a un ami, un oncle ou d'autres membres de sa famille.

— Ne me dis pas que c'est aussi la faute des Anglais !

— Et pourtant si…, intervint Mirthe. Ils ont essayé deux fois de nous faire mourir de faim. Lors de la seconde, au XIXe siècle, alors que le mildiou faisait des ravages dans les cultures de pommes de terre, notre aliment de base, ils nous ont obligés à maintenir nos exportations vers l'Angleterre. On estime qu'un huitième de la population est mort de faim. *De faim !* Et que deux millions d'Irlandais ont dû émigrer pour survivre. Grâce à Dieu, une fois de plus, l'Amérique nous a reçus à bras ouverts. »

Cette fille qui avait l'air d'une diva venue d'une autre planète se mit à disserter sur ces deux famines dont Paulo n'avait jamais entendu parler. La population décimée, le peuple abandonné à son triste sort, des luttes d'indépendance, et ainsi de suite.

« Je suis diplômée en histoire », expliqua-t-elle.

Karla tenta de ramener la conversation sur le sujet qui l'intéressait, le Népal et la réalité parallèle, mais Mirthe fut intarissable jusqu'à ce qu'elle ait appris aux autres tout ce que l'Irlande avait enduré, combien de centaines de milliers de gens avaient péri, comment deux grands leaders révolutionnaires avaient été fusillés chacun lors d'une tentative de soulèvement, et enfin la façon dont un Américain (parfaitement, un Américain !) avait obtenu un traité de paix pour mettre fin à cette guerre interminable.

« Mais ça ne se reproduira plus jamais. *Plus jamais.* La résistance s'est renforcée. Nous avons l'IRA et nous porterons notre guerre chez eux, au moyen de bombes, d'assassinats, de tout ce qui est possible. Et tôt ou tard, dès qu'ils auront trouvé un bon prétexte, ils devront ôter leurs bottes immondes de notre île. »

Elle se tourna vers l'Indien.

« Comme ils l'ont fait de chez vous. »

Rahul s'apprêtait à narrer ce qui s'était passé en Inde, mais cette fois Karla intervint d'un ton plus autoritaire.

« On ne peut pas écouter la fin de l'histoire de Ryan ?

— Mirthe a raison : ce sont de mauvaises influences qui m'ont poussé à partir pour le Népal. Quand je faisais mon service à Limerick, je fréquentais un pub voisin de la caserne. On y jouait aux fléchettes, au billard, au bras de fer, chacun voulait prouver à l'autre qu'il était viril et prêt à relever tous les défis. Il y avait un habitué, un Oriental taciturne, qui se bornait à boire deux ou trois pintes de Guinness brune, notre orgueil national, et partait sans attendre que le patron agite la cloche annonçant la dernière tournée avant la fermeture à 11 heures.

— La faute aux Anglais. »

En effet, la loi de la fermeture des pubs à 11 heures avait été instaurée par les Anglais au début de la Seconde Guerre mondiale, pour que les pilotes aient le temps de récupérer de leur cuite avant de partir au combat et que les soldats indisciplinés ne portent pas atteinte au moral des troupes en traînant au lit le matin.

« Un soir où j'en avais marre d'entendre des récits de départs imminents pour l'Amérique, je me suis assis à la table de l'Oriental après lui en avoir demandé la permission. Nous avons dû rester muets une demi-heure ; dans mon idée, il ne parlait pas anglais, et je ne voulais pas le mettre mal à l'aise. Pourtant, avant de s'en aller, il a prononcé une phrase qui m'est restée dans la tête : *Tu es ici mais ton âme est ailleurs, dans mon pays. Va à la rencontre de ton âme.*

» J'ai approuvé de la tête et levé mon verre en signe de salutation. Je ne voulais pas faire d'histoires : mon éducation catholique stricte m'empêchait de concevoir autre chose qu'un corps et une âme unis qui rencontreront ensemble le Christ après la mort. Je me suis dit que les Orientaux avaient des croyances farfelues.

— C'est bien vrai ! » lança l'Indien.

Se rendant compte qu'il avait gaffé, Ryan tenta de se rattraper.

« Nous les catholiques, nous en avons une encore plus farfelue, puisque nous croyons que le corps du Christ se niche dans un pain. Ne sois pas fâché. »

Rahul eut un geste de la main signifiant que ça n'avait pas la moindre importance, et Ryan put enfin terminer une partie de son histoire – une partie seulement, parce que les forces du mal allaient bientôt les interrompre.

« Bref, j'étais prêt à rentrer chez moi pour reprendre l'affaire familiale, la laiterie de mon père, alors que mes amis allaient traverser l'Atlantique et être accueillis par la statue de la Liberté. Pourtant, cette nuit-là, les mots de l'Oriental tournaient en boucle dans mon esprit. Parce que en fait, j'avais beau me dire que ma vie me convenait, qu'un jour je me marierais et j'aurais des enfants, et que nous irions vivre loin de la pollution et des fumées de Dooradoyle, je ne connaissais aucune autre ville que mon patelin familial et Limerick. Je n'avais jamais eu la curiosité de m'arrêter en chemin pour me promener dans les villages, ou plutôt les hameaux, qui se trouvaient entre les deux.

» J'estimais suffisant, plus sûr et moins cher de voyager dans les livres ou dans les films, et j'étais persuadé que personne au monde n'avait la chance d'admirer une campagne aussi belle que celle qui m'entourait. Malgré tout, je suis retourné au pub le lendemain, je me suis assis à la table de l'Oriental et je lui ai demandé – conscient qu'on prend parfois un risque énorme en cherchant à éclaircir certaines questions – ce qu'il avait voulu dire la veille et le nom de son pays. »

Le Népal.

« Comme tout le monde, j'avais appris au collège qu'il existait un pays nommé Népal, mais j'avais oublié le nom de sa capitale. Le vague souvenir qu'il m'en restait, c'était qu'il était très loin. Peut-être en Amérique du Sud, en Australie, en Afrique, en Asie, en tout cas pas en Europe, sinon j'aurais déjà rencontré quelqu'un qui venait de là-bas, ou j'aurais vu un film ou lu un livre qui en parlait.

» Concernant sa phrase de la veille, il ne se rappelait plus trop, il m'a prié de la lui répéter. Avant de répondre, il est resté un long moment à fixer sa Guinness en silence.

» "Si j'ai dit ça, c'est peut-être que tu devrais aller au Népal.

» — Et comment y va-t-on ?

» — Comme j'en suis venu : en autocar."

» Et il est parti. Le lendemain, quand j'ai voulu m'asseoir à sa table pour en savoir plus sur cette histoire d'âme qui m'attendait au loin, il m'a fait comprendre qu'il préférait être seul, comme il l'était d'ailleurs tous les soirs.

» Mais puisqu'il existait des autocars à destination du Népal, si je trouvais une compagnie qui proposait ce voyage, qui sait si je ne finirais pas par le visiter un jour ?

» C'est à ce moment-là que j'ai rencontré Mirthe, à Limerick. Elle était assise juste à l'endroit d'où je contemplais la mer d'habitude. Nous avons très vite noué contact, et j'ai aussitôt pensé qu'elle ne s'intéresserait pas à un mec de la campagne dont la destination n'était pas le Trinity College de Dublin, où elle terminait ses études, mais la laiterie O'Connell de Dooradoyle. Pendant l'une de nos conversations, je lui ai parlé de ce type énigmatique et de ce qu'il m'avait dit sur moi-même et sur le Népal, tout en songeant que j'allais bientôt rentrer chez moi et que cette période de ma vie, Mirthe, le pub, les copains de régiment, ne serait qu'une étape sur mon parcours. Mais la tendresse que Mirthe me témoignait, son intelligence et – pourquoi ne pas le dire – sa beauté, m'ont charmé, et le fait qu'elle me juge digne de sa compagnie a renforcé ma confiance en moi.

» Profitant du long week-end qui précédait ma dernière semaine à la caserne, elle m'a emmené à Dublin. Elle m'a montré la maison où avait vécu Bram Stoker, l'auteur de *Dracula*, et son Trinity College, un ensemble de bâtiments plus vaste que tout ce que j'aurais pu imaginer. Dans un pub près de l'université, nous avons discuté et bu jusqu'à la fermeture, tout en observant au mur les photos des écrivains qui avaient fait l'histoire de l'Irlande : James Joyce, Oscar Wilde, Jonathan Swift, Samuel Beckett, Bernard Shaw. À la fin, elle m'a tendu un prospectus qui indiquait comment se rendre à Katmandou : un autocar partait tous les quinze jours de Londres, de la station de métro Totteridge & Whetstone.

» J'ai cru qu'elle voulait se débarrasser de moi, m'envoyer loin, le plus loin possible, et j'ai pris le dépliant sans la moindre intention d'aller à Londres. »

*

C'est alors qu'ils entendirent des ronflements de moteurs, de motos qu'on accélérait à fond au point mort. Un groupe de motards arrivait... D'où ils se trouvaient, il était impossible de voir combien ils étaient, mais ce vacarme semblait agressif et déplacé. L'employé du restaurant s'approcha pour les prévenir qu'il s'apprêtait à fermer, mais aux autres tables personne ne bougea.

Ryan fit comme s'il n'avait pas entendu et poursuivit.

« Mais Mirthe a ajouté, à ma grande surprise : "Sans compter le temps du trajet, que je ne préciserai pas maintenant pour ne pas te décourager, je veux que tu reviennes après avoir passé exactement deux semaines là-bas. Je t'attendrai. Si tu n'arrives pas à la date prévue, tu ne me reverras plus." »

Mirthe se mit à rire. Elle n'avait pas tout à fait employé ces mots, c'était plutôt du style : « Va chercher ton âme, moi j'ai déjà trouvé la mienne. » Et ce qu'elle n'avait pas dit ce soir-là et n'avouerait pas plus à présent, c'était : « Mon âme, c'est toi. Je prierai toutes les nuits pour que tu rentres sans encombre, que nous nous retrouvions et que tu n'aies plus jamais envie de t'éloigner de moi, parce que tu me mérites et que je te mérite. »

« J'étais ébahi. Elle m'attendrait ? Moi, le futur patron de la laiterie O'Connell ? Qu'est-ce qu'elle pouvait bien trouver à un type si peu cultivé, si peu expérimenté ? Et pourquoi était-ce si important pour elle que je suive le conseil d'un étrange individu rencontré dans un pub ?

» Pourtant, elle savait ce qu'elle faisait. Parce que dès que j'ai mis le pied dans cet autocar, après avoir lu tout ce que j'avais pu trouver sur le Népal et menti à mes parents en disant que l'armée m'avait collé du rab de service pour mauvaise conduite et qu'elle m'envoyait dans une base reculée dans l'Himalaya, je n'ai plus été le même. Et quand je suis rentré, j'étais un homme. Mirthe m'attendait comme convenu, elle m'a emmené dormir chez elle et nous ne nous sommes plus quittés depuis.

— C'est bien le problème ! lança l'intéressée, que tout le monde savait sincère. Naturellement, je ne voulais pas d'un idiot, mais je ne m'attendais pas à ce qu'il me renvoie la balle en me demandant de l'accompagner à son second voyage ! »

Elle rit encore.

« Et le pire, c'est que j'ai accepté ! »

Paulo se sentait mal à l'aise d'être assis à côté d'elle, que leurs jambes se touchent et qu'elle lui caresse la main de temps à autre. Karla, pour sa part, avait changé de regard. Visiblement, il n'était pas l'homme qu'elle cherchait...

« Et maintenant, si nous parlions réalités parallèles ? »

Entre-temps, cinq personnages en blouson noir, têtes rasées, chaînes à la ceinture, tatoués d'épées et d'étoiles ninja, avaient fait irruption dans le restaurant, s'étaient approchés de leur table et les avaient encerclés en silence.

« Votre addition, dit l'employé en posant le papier sur la table.

— Mais nous n'avons pas fini de manger ! protesta Ryan. Encore moins réclamé la note !

— C'est moi qui l'ai demandée. »

C'était l'un des motards. L'Indien fit mine de se lever, mais un autre le repoussa sur sa chaise.

« Avant que vous ne partiez, Adolf veut avoir l'assurance que vous ne remettrez plus les pieds ici. Nous avons horreur des va-nu-pieds. Notre peuple, c'est l'ordre et la loi. L'ordre et la loi. Les étrangers ne sont pas les bienvenus. Rentrez chez vous, avec vos drogues et vos mœurs dissolues ! »

Étrangers ? Drogue ? Mœurs dissolues ?

« Nous partirons quand nous aurons terminé notre repas ! » rétorqua Karla.

Paulo se sentit furieux : pourquoi provoquer davantage ? Ils se savaient entourés de gens qui détestaient tout ce qu'ils représentaient, et qui les menaçaient, avec leurs chaînes pendues à la ceinture et leurs gants dont les clous, contrairement aux décorations qu'il avait achetées à Amsterdam, étaient de véritables pointes destinées à intimider, à entailler, voire à blesser grièvement lorsque ces types usaient de leurs poings.

Ryan se tourna vers celui qui semblait être le chef, visiblement plus âgé que les autres, le visage marqué, qui avait assisté à la scène sans piper mot.

« Nous appartenons à des tribus différentes, mais notre combat est le même. Nous ne sommes pas des ennemis. Nous allons terminer notre repas et partir. »

Le chef, qui avait manifestement un problème de cordes vocales, se plaqua un amplificateur sur le cou.

« Nous ne sommes d'aucune tribu, dit-il d'une voix métallique. Vous sortez tout de suite. »

Il y eut un silence qui s'éternisa. Karla et Mirthe soutenaient le regard des inconnus, les hommes évaluaient leurs chances de l'emporter, et les motards attendaient. Enfin, l'un d'eux se tourna vers le patron du restaurant.

« Et désinfectez-moi ces chaises quand ils seront partis ! lui cria-t-il. On n'a pas envie d'attraper la peste, des maladies vénériennes, et allez savoir quoi d'autre ! »

Les quelques autres clients n'avaient pas l'air de s'émouvoir de la scène. Peut-être était-ce l'un d'eux qui avait appelé le groupe, quelqu'un qui prenait pour une offense personnelle le simple fait qu'il existe des gens libres dans le monde.

« Tirez-vous d'ici, bande de lavettes ! »

C'était un autre motard, au blouson de cuir noir orné d'un crâne.

« En filant tout droit, à moins de un kilomètre, vous trouverez un pays communiste où on vous accueillera bien. Ne venez pas ici influencer en mal nos sœurs et nos familles. Ici nous avons des valeurs chrétiennes, un gouvernement qui ne tolère pas le désordre, et nous respectons les autres. Alors mettez la queue entre les jambes et sortez ! »

Ryan était écarlate. L'Indien restait impassible. Peut-être avait-il déjà subi ce genre d'algarade... Ou alors il suivait le précepte de Krishna selon lequel on ne tourne pas le dos à la lutte sur le champ de bataille. Karla dévisageait les crânes rasés, en particulier celui à qui elle avait répondu au début. Maintenant qu'elle avait constaté que le voyage était moins passionnant que prévu, elle devait être assoiffée de sang...

Mirthe bougea la première : elle saisit son sac, compta ce qu'elle devait et posa l'argent sur la table sans hâte avant de se diriger vers la porte. L'un des motards lui barra le passage ; encore une provocation, que personne du groupe ne voulait voir tourner à la bagarre... Mais elle se borna à l'écarter, poliment, sans peur, et poursuivit son chemin.

Les autres se levèrent, payèrent leur part et s'apprêtèrent à obtempérer. Ce qui en théorie prouvait qu'ils étaient bien des lâches, capables d'entreprendre un long voyage jusqu'au Népal mais se défilant à la première menace concrète. Le seul qui semblait disposé à affronter les motards, c'était Ryan, mais Rahul le

176

prit par le bras et l'entraîna, tandis que l'une des têtes rasées jouait à faire sortir et rentrer la lame de son cran d'arrêt.

Les Français, père et fille, leur emboîtèrent le pas.

« Vous, vous pouvez rester, lança le chef de sa voix métallique.

— Pas question. Je voyage avec eux. Ce qui vient de se passer est une honte. Ici, dans un pays libre, aux paysages magnifiques ! Les dernières impressions que nous emporterons de l'Autriche seront toujours cette rivière dans un défilé, les Alpes, la beauté de Vienne, le splendide ensemble de l'abbaye de Melk. Quant à votre bande de voyous... »

Sa fille le tira par le bras, mais il n'en tint pas compte.

« ... qui ne représentent pas ce pays, nous l'oublierons vite. Nous ne sommes pas venus de France pour voir ça. »

L'un des motards s'approcha par-derrière et le frappa dans le dos. Le chauffeur anglais s'interposa, fixant le chef sans rien dire d'un regard d'acier ; les mots étaient inutiles, à cet instant sa simple présence en imposait. La fille du Français se mit à crier. Ceux qui étaient déjà sur le seuil firent mine de revenir en arrière, mais l'Indien les arrêta : la bataille était perdue d'avance.

Il revint sur ses pas, saisit le père et la fille par le bras, poussa le reste du groupe dehors et l'entraîna vers l'autocar. Michael, le chauffeur, toujours imperturbable, fut le dernier à sortir sans quitter des yeux le chef de la bande.

« Éloignons-nous d'ici. Nous allons rebrousser chemin de quelques kilomètres et dormir dans la petite ville que nous avons traversée tout à l'heure.

— Alors nous fuyons ? C'est pour ça que nous voyageons si loin, pour nous enfuir à la première bagarre ? »

C'était le Français qui venait de parler. Les filles semblaient à présent effrayées.

« C'est ça, dit le chauffeur en démarrant. Nous enfuir. Les rares fois où j'ai fait ce trajet, j'ai fui pas mal de choses, et je n'y vois aucune humiliation. Ça vaut mieux que de nous retrouver avec tous les pneus crevés, incapables de poursuivre le voyage parce que je n'ai que deux roues de secours. »

Ils entrèrent dans la bourgade et se garèrent dans une rue qui paraissait tranquille. Tous étaient tendus et inquiets après l'incident du restaurant ; à présent, ils formaient un groupe capable de résister à toute agression, mais malgré tout, ils décidèrent de dormir dans l'autocar.

Ils eurent du mal à trouver le sommeil et furent réveillés en sursaut, deux heures plus tard, par deux phares puissants qui éclairaient l'intérieur du véhicule.

« POLIZEI. »

L'un des policiers ouvrit la porte et parla en allemand. Karla, qui comprenait cette langue, expliqua qu'il leur demandait à tous de sortir en sous-vêtements. À cette heure de la nuit, l'air était glacial, mais les policiers – hommes et femmes – leur interdirent de prendre quoi que ce soit avec eux. Ils ne semblaient pas s'émouvoir que tout le monde tremble de froid et de peur.

Montés à bord de l'autocar, ils ouvrirent tous les sacs et en renversèrent le contenu sur le sol. Ils découvrirent une pipe à eau, qu'on utilise en principe pour fumer du haschisch.

Ils la confisquèrent.

Ils réclamèrent tous les papiers et les examinèrent l'un après l'autre à la lumière de leur torche, vérifiant le tampon d'entrée, épluchant chaque page à la recherche de falsifications, éclairant chaque visage pour voir si la photo du passeport correspondait. Quand ils arrivèrent à ceux des filles soi-disant majeures, une policière alla jusqu'à la voiture communiquer par radio, attendit un peu, fit un signe de tête et revint vers elles.

Karla servait toujours d'interprète.

*

« Nous devons vous conduire chez le juge des mineurs. Vos parents viendront vous chercher bien-tôt ; enfin d'ici deux jours ou une semaine, tout dépend du moyen de transport qu'ils choisiront. »

Les filles avaient l'air en état de choc. L'une se mit à pleurer, mais la femme poursuivit de son ton monocorde.

« J'ignore où vous comptiez aller et ça m'est égal, mais votre voyage se termine ici. Je m'étonne que vous ayez traversé tant de frontières sans que per-sonne ne s'aperçoive que vous aviez fugué. »

Elle se tourna vers le chauffeur.

« Je pourrais confisquer votre autocar pour station-nement interdit, mais je préfère que vous filiez d'ici le plus tôt et le plus loin possible. Vous n'aviez pas vu que ces filles étaient mineures ?

— J'ai vu leurs passeports, ils semblaient en règle… »

La policière faillit développer, rétorquer que les documents avaient été falsifiés, que l'âge de ces filles était *visible,* qu'elles avaient fugué parce que l'une d'elles avait décrété qu'au Népal le haschisch était meilleur qu'en Écosse, que leurs parents étaient désespérés… Et que tout ça était inscrit dans le dossier qu'ils avaient au commissariat. Mais elle décida d'abandonner les justifications : après tout, elle n'en devait qu'à ses supérieurs.

*

Elle garda les passeports des deux fugueuses et leur demanda de la suivre, sans tenir compte de leurs protestations, d'autant qu'elles ne parlaient pas allemand et que les policiers, qui devaient connaître l'anglais, refusaient de parler une autre langue que la leur.

Elle les fit monter dans l'autocar, les y suivit et leur ordonna de récupérer leurs affaires. Avec le chaos qui régnait à l'intérieur, l'opération parut bien longue aux autres qui gelaient dehors. Enfin, elles ressortirent et les filles furent embarquées dans une voiture de police.

« Maintenant, filez ! dit le lieutenant qui accompagnait le groupe.

— Puisque vous n'avez rien trouvé, pourquoi devons-nous partir ? protesta Michael. Existe-t-il un endroit où il soit permis de stationner sans risquer de nous faire confisquer le véhicule ?

— Il y a un parking dans la campagne, avant l'entrée de la ville. Vous pouvez y dormir, mais à condition de repartir au lever du jour. La vue des gens comme vous nous dérange. »

Chacun reprit son passeport à tour de rôle et remonta dans le véhicule, sauf Michael et Rahul qui n'avaient pas bougé.

« Quel crime avons-nous commis ? Pourquoi n'avons-nous pas le droit de rester plus longtemps ?

— Rien ne m'oblige à vous répondre. Si vous préférez que je vous embarque tous au commissariat, où nous devrons entrer en contact avec vos pays respectifs pendant que vous attendrez dans une cellule sans chauffage, ça ne nous pose aucun problème. En tant que conducteur, vous risquez d'être accusé d'enlèvement de mineur. »

La voiture qui emportait les filles démarra, et aucun des autres passagers n'en sut jamais davantage sur elles.

Le lieutenant regardait Michael, Michael regardait le lieutenant, l'Indien regardait les deux. Enfin le chauffeur céda, grimpa dans le véhicule et le mit en marche.

L'officier leur jeta un regard ironique : ces hippies qui sillonnaient le monde en répandant le germe de la rébellion ne méritaient même pas d'être libres. Les événements de Mai 68 en France avaient suffi, il fallait à tout prix éviter la propagation de la contestation.

Certes, Mai 68 n'avait rien à voir avec les hippies et leurs semblables, mais les gens risquaient de confondre et de vouloir tout renverser sur la planète entière.

En aucune façon il n'aimerait se joindre à eux : il avait une famille, une maison, des enfants, de quoi manger, des amis au sein de la police. C'était déjà bien assez pénible d'être aux portes d'un pays communiste. Quelqu'un avait écrit dans un journal que les Soviétiques avaient changé de tactique : ils influençaient les gens pour corrompre leurs mœurs et les retourner contre leur propre gouvernement. Pour lui, c'était une rumeur idiote, mais mieux valait ne pas prendre de risques.

Tous discutèrent de l'épisode absurde qu'ils venaient de vivre, sauf Paulo qui avait manifestement perdu l'usage de la parole et changé de couleur. Karla lui demanda s'il allait bien. Ça devait lui déplaire que son compagnon se montre si lâche au premier incident avec les autorités… Il lui répondit que oui, qu'il avait juste un peu trop bu et qu'il se sentait patraque. Quand l'autocar s'arrêta sur le parking qu'on leur avait indiqué, il sauta dehors et vomit au bord de la route, discrètement, sans qu'on le voie : il n'avait parlé à personne de l'histoire de Ponta Grossa, de ce qu'il avait enduré, de l'épouvante qui le saisissait à chaque passage de frontière. Et pire, du désespoir de savoir que toute sa vie, le mot POLICE emplirait son corps et son âme d'une terreur sans nom, qu'il ne se sentirait jamais en sécurité. Quand on l'avait jeté en prison et torturé, il était innocent. Il n'avait jamais commis un seul crime de sa vie sauf, peut-être, celui de fumer de la drogue de temps à autre. Mais il n'en gardait jamais sur lui, même à Amsterdam où ceci n'aurait eu absolument aucune conséquence.

En bref, si la prison et la torture avaient disparu de sa réalité physique, elles étaient toujours présentes dans la réalité parallèle, dans l'une des diverses existences qu'il vivait simultanément.

*

N'aspirant qu'au silence et à la solitude, il s'assit loin des autres. Rahul s'approcha avec une tasse pleine d'une sorte de thé blanc et froid. Il avala la boisson, qui avait le goût du yaourt périmé.

« D'ici peu tu vas te sentir mieux. Ne te couche pas, n'essaie pas de dormir maintenant. Et ne cherche pas à te justifier. Certains organismes sont plus sensibles que d'autres. »

Ils restèrent silencieux. Le breuvage commença à faire effet, et un quart d'heure plus tard il se sentait mieux. Ses compagnons de voyage avaient allumé un feu et dansaient au son de la radio du véhicule. Ils dansaient pour exorciser les démons, pour montrer qu'ils étaient les plus forts, qu'on le veuille ou non. Il se leva pour se joindre à eux.

« Reste encore un peu au calme, insista Rahul. Nous devrions peut-être prier ensemble, maintenant.

— C'était juste une intoxication alimentaire, c'est passé. »

Au regard de l'Indien, il comprit que celui-ci n'y croyait pas une seconde. Il se rassit donc, et l'autre se campa devant lui.

« Disons que tu es un guerrier sur le front d'une bataille et que soudain le Seigneur Bienheureux vient assister au combat. Disons que tu t'appelles Arjuna et qu'il te demande de ne pas être lâche, d'avancer droit devant toi et d'accomplir ton destin, car personne ne peut mourir ni tuer et que le temps est éternel. Il se trouve que tu es humain, que tu as déjà traversé une épreuve semblable dans l'un des cycles de ce temps circulaire et que tu vois la situation se répéter. Même si elle est différente, les émotions sont les mêmes. Comment tu t'appelles, déjà ?

— Paulo.

— Alors Paulo, tu n'es pas Arjuna, le général tout-puissant qui craignait de blesser ses ennemis parce qu'il se croyait bon. Pour Krishna, c'était un présomptueux, qui s'attribuait un pouvoir qu'il n'avait pas. Toi, tu es Paulo, tu es né loin d'ici, tu as comme chacun de nous tes moments de courage et tes moments de lâcheté. Et dans ces moments-là, tu es possédé par la peur.

» Or la peur, au contraire de ce qu'on croit en général, prend ses racines dans notre passé. Certains gourous de mon pays disent : "Quand tu iras de l'avant, tu auras peur de ce qui t'attend." Mais comment puis-je redouter ce qui m'attend si je n'ai jamais fait l'expérience de la douleur, de la séparation, de la torture morale ou physique ?

» Tu te souviens de ton premier amour ? Il est entré par une porte pleine de lumière et tu l'as laissé prendre toute la place, illuminer ta vie, enchanter tes rêves, et un beau jour, comme c'est toujours le cas avec un premier amour, il est parti. Tu devais avoir sept ou huit ans, tu aimais une jolie petite fille de ton âge. Elle a trouvé un amoureux plus grand et tu es resté là à souffrir, à jurer que tu n'aimerais jamais plus personne de ta vie parce que aimer, c'est perdre.

» Pourtant tu as aimé à nouveau, car il est impossible de concevoir une vie sans amour. Et tu as continué à aimer et à perdre, jusqu'à ce que tu rencontres quelqu'un… »

Paulo songea qu'ils entreraient le lendemain dans le pays d'origine d'une des femmes à qui il avait ouvert son cœur, dont il était tombé amoureux et qu'il avait perdue, non sans qu'elle lui ait enseigné tant de choses importantes, y compris à feindre le courage dans les moments de désespoir. En effet, la roue de la fortune tournait dans l'espace circulaire, ôtant des joies et rendant des peines, ôtant des peines et rendant des joies.

Karla les regardait parler tout en veillant du coin de l'œil à ce que Mirthe ne s'approche pas d'eux. C'était bien long ! Pourquoi Paulo ne venait-il pas se joindre à eux, pour évacuer une bonne fois pour toutes la mauvaise vibration qui s'était installée au restaurant et poursuivie dans la ville où ils voulaient s'arrêter pour la nuit ?

Enfin, elle se lassa de cette surveillance et retourna danser autour du foyer tandis que les flammèches éclairaient le ciel sans étoiles.

*

Le chauffeur monta le son. Il avait un peu de mal à se remettre des incidents de la soirée, même s'il en

avait vu d'autres. Plus la musique était forte et ryth-
mée, mieux c'était. Un instant, il craignit que la
police ne revienne pour les chasser, mais il décida de
se détendre. Il n'allait pas se laisser impressionner par
des gens qui s'estimaient garants de l'autorité – et
par conséquent maîtres du monde –, et qui avaient
voulu lui gâcher un jour de sa vie. Un seul jour, ça
paraissait dérisoire, et pourtant c'était le bien le plus
précieux qui soit. Un seul jour, celui que sa mère
avait supplié qu'on lui accorde sur son lit de mort.
Un seul jour valait davantage que tous les royaumes
de la Terre.

Trois ans plus tôt, Michael avait surpris tout le monde. Ses parents lui avaient offert leur vieille Volkswagen quand il avait obtenu son diplôme de médecine. Et au lieu d'aller se pavaner avec devant les filles ou de la montrer à ses amis d'Édimbourg, il avait pris la route une semaine plus tard pour l'Afrique du Sud. En travaillant comme interne dans des cliniques privées, il avait économisé l'argent nécessaire à trois mois de voyage. Et à présent qu'il connaissait bien le corps humain et sa fragilité, il rêvait de découvrir le monde.

*

Après un nombre incalculable de jours, où il avait traversé les anciennes colonies françaises et anglaises en s'efforçant de soigner les malades et de consoler les affligés, l'idée de la mort toujours proche lui était devenue familière ; il se jura que jamais il ne laisserait les pauvres sans soins ni les laissés-pour-compte sans réconfort. Il put ainsi constater que la bonté avait un effet rédempteur et protecteur : à aucun moment il ne rencontra de difficultés, à aucun moment il n'eut faim. Et avec sa Volkswagen vieille de douze ans, qui n'avait pas été conçue pour ce genre d'épreuves, il n'eut à déplorer qu'une crevaison en traversant ces pays en guerre permanente. En outre, le bien qu'il prodiguait commença à le précéder à son insu, et partout où il s'arrêtait, il était accueilli comme un sauveur.

Par l'un de ces hasards que réserve le destin, il tomba sur un poste de la Croix-Rouge dans un joli village près d'un lac, au Congo. Comme sa réputation était parvenue jusque-là, on lui fournit des vaccins contre la fièvre jaune, des médicaments et quelques instruments chirurgicaux, en le priant instamment de ne s'engager dans aucun conflit, de se borner à traiter les blessés des deux côtés.

« C'est notre objectif, lui expliqua un jeune homme du poste. Prodiguer des soins à tous sans jamais prendre parti. »

Le voyage que Michael avait prévu d'effectuer en deux mois finit par durer un an. Plus il avançait dans son parcours – en prenant la plupart du temps dans sa voiture des femmes épuisées, incapables de continuer à pied après tant de jours sur la route à fuir la violence –, plus il voyait les guerres tribales se répandre dans toutes les régions. Malgré tout, il subissait un nombre incalculable de contrôles, comme s'il jouissait d'une protection. Dès qu'on avait regardé son passeport, on le laissait entrer, peut-être parce qu'il avait guéri le frère, le fils, l'ami de quelqu'un…

Cela l'impressionna beaucoup. Il fit un vœu et pria Dieu de lui permettre de vivre chaque jour pour servir. Un jour après l'autre. *Un seul jour*, à l'image du Christ pour qui il avait une immense dévotion. Il songeait à devenir prêtre au terme de son voyage, au bout du continent africain.

Lorsqu'il arriva au Cap, il décida de se reposer avant de se mettre en quête d'un ordre religieux où se proposer comme novice. Son idole était Saint Ignace de Loyola, qui avait comme lui parcouru le monde avant d'aller étudier à Paris et de fonder l'ordre des Jésuites.

Il dénicha un hôtel modeste et bon marché et résolut de se détendre une semaine afin que toute l'adrénaline s'élimine de son corps pour laisser place, à nouveau, à la paix. Il s'efforçait de ne plus penser aux horreurs qu'il avait vues : retourner en arrière n'avance à rien, à part se mettre des chaînes imaginaires aux pieds et s'ôter tout vestige d'espoir en l'humanité.

Il regardait donc vers l'avenir, réfléchissait au meilleur moyen de vendre sa voiture et contemplait la mer du matin au soir depuis sa fenêtre. Il observait les variations de couleur du soleil et de l'eau selon l'heure, et en bas sur le front de mer, les Blancs qui se promenaient avec leurs chapeaux d'explorateur, leurs pipes, et leurs femmes habillées comme à la Cour de Londres. Aucun Noir sur le boulevard qui longeait la plage. Il n'aurait pas cru s'affliger autant de cette ségrégation qu'il savait officielle dans le pays… Mais pour l'instant, au moins pour l'instant, il ne pouvait rien faire que prier.

Il priait du matin au soir pour demander l'inspiration et s'apprêtait à exécuter pour la dixième fois les exercices spirituels. Il voulait être prêt le moment venu.

Le troisième jour, alors qu'il buvait son café, deux hommes en costume clair s'approchèrent de sa table.

« Vous êtes donc celui qui a honoré le nom de l'Empire britannique ! »

L'Empire britannique ? Il n'existait plus, il avait été remplacé par le Commonwealth ! Que voulaient dire ces hommes ?

« Tout ce que j'ai honoré, c'est "un seul jour à la fois" », répondit-il sans se soucier du fait qu'ils ne comprendraient pas.

En effet, ils n'avaient rien compris, et la conversation prit un tour bien trop périlleux à son goût.

« Partout où vous passez, vous êtes accueilli et respecté. Nous avons besoin de gens comme vous pour travailler avec nous, au gouvernement britannique. »

Si l'autre n'avait pas ajouté « au gouvernement britannique », il aurait pu croire qu'on lui proposait une place dans une mine, une plantation ou une usine de transformation de minéraux, en qualité de contremaître, voire de médecin. Mais en l'occurrence, il ne s'agissait pas du tout de ça. Or si Michael était bon, il n'était pas naïf.

« Merci, ça ne m'intéresse pas. J'ai d'autres projets.

— Pardon ?

— Je veux devenir prêtre. Servir Dieu.

— Et vous ne pensez pas que vous serviriez Dieu en servant votre pays ? »

Alors, il comprit qu'il ne pouvait rester plus longtemps dans cette Afrique du Sud qu'il avait mis si longtemps à atteindre. Il était forcé de regagner l'Écosse par le premier vol disponible. Heureusement, il avait de quoi payer son billet.

Il se leva sans leur laisser une chance de poursuivre. Il savait qu'il venait d'être aimablement « convoqué » pour faire de l'espionnage.

Il avait de bonnes relations avec les armées tribales, il avait connu beaucoup de gens, et c'était hors de question pour lui de trahir ceux qui lui avaient accordé leur confiance.

Après avoir rassemblé ses affaires, expliqué au gérant qu'il voulait vendre sa voiture et lui avoir laissé l'adresse d'un ami à qui envoyer l'argent, il fila droit à l'aéroport. Onze heures plus tard, il débarquait à Heathrow. En attendant le train pour Londres, il lut le panneau des petites annonces et en repéra une, noyée au milieu des demandes de femmes de ménage, de colocataires, de garçons de café, de filles qui souhaitaient travailler dans un cabaret : « Recherchons chauffeurs d'autocar pour l'Asie. » Il s'empara du papier et, oubliant le centre-ville, se rendit directement à l'adresse indiquée. C'était un modeste bureau dont la plaque annonçait : « Budget Bus. »

« La place est déjà prise, lui répondit un gars aux cheveux longs en ouvrant la fenêtre pour évacuer un peu l'odeur de haschisch qui flottait dans la pièce. Mais j'ai entendu dire qu'à Amsterdam, ils cherchaient des gens qualifiés. Vous avez de l'expérience ?

— Pas mal, oui.

— Alors allez-y. Dites que c'est de la part de Ted, ils me connaissent. »

Il lui tendit un dépliant à l'enseigne du « Magic Bus », un nom encore plus surréaliste que celui de la compagnie londonienne. « Visitez des pays où vous n'auriez jamais imaginé pouvoir mettre les pieds. Prix du billet : 70 dollars par personne, voyage seul. Apportez le reste avec vous. Mais pas de drogues, sous peine d'y laisser votre tête avant d'arriver en Syrie. »

Le prospectus arborait la photo d'un autocar bariolé devant lequel plusieurs personnes faisaient le salut de la paix, si semblable au signe de la victoire de Churchill. À Amsterdam, il fut aussitôt accepté ; à l'évidence, la demande excédait l'offre.

Il en était maintenant à son troisième voyage et il ne se lassait pas de traverser les défilés de l'Asie. Il changea la cassette. La voix qui s'éleva était celle de Dalida, une Égyptienne qui vivait en France et qui rencontrait du succès dans l'Europe tout entière. Les danseurs s'animèrent de plus belle : le cauchemar était fini.

*

Rahul comprit que le Brésilien était totalement remis.

« Paulo, j'ai vu que cette bande de blousons noirs ne t'impressionnait pas, tout à l'heure, que tu étais prêt pour la castagne. Mais ça se serait mal terminé pour nous. Nous sommes des pèlerins, pas les maîtres de la terre. Nous dépendons de l'hospitalité des autres. »

Paulo fit un signe d'assentiment.

« Pourtant, après, quand la police est arrivée, tu t'es pétrifié. Tu as quelque chose à te reprocher ? Tu as tué quelqu'un ?

— Jamais, mais... Si j'avais pu, il y a quelques années, je l'aurais fait sans hésiter. Le problème, c'est que je n'avais jamais vu le visage de mes bourreaux. »

À traits rapides pour éviter que l'autre ne le soupçonne de mentir, il lui raconta l'épisode de Ponta Grossa. Rahul ne manifesta pas d'intérêt spécial.

« Je comprends. Donc, ta peur est plus banale que je ne croyais : tu as peur de la police. Tout le monde a peur de la police, même ceux qui n'ont jamais transgressé la loi. »

Ces paroles réconfortèrent Paulo, qui s'aperçut que Karla s'était approchée.

« Pourquoi restez-vous à l'écart ? Maintenant que les gamines sont parties, vous avez décidé de prendre leur place ?

— Nous nous préparons à prier, c'est tout.

— Je peux participer ?

— Danser est aussi une manière de louer Dieu. Continue de danser avec les autres. »

Mais Karla, la deuxième plus jolie fille du voyage, ne s'avoua pas vaincue. Elle voulait prier comme les Brésiliens. Quant aux Indiens, elle les avait souvent vus à Amsterdam, avec leurs postures bizarres, leur peinture au milieu du front et le regard fixé sur l'infini...

Paulo suggéra qu'ils se donnent la main, et au moment où il s'apprêtait à réciter le premier vers de la prière, Rahul l'interrompit.

« En fin de compte, laissons les mots pour plus tard. Le mieux, aujourd'hui, c'est de prier avec nos corps. »

Il s'avança vers le feu et Paulo et Karla le suivirent, car tous voyaient dans la danse et la musique une manière de se libérer. De se dire : « Nous sommes ici cette nuit ensemble, heureux, malgré l'énergie du mal qui a tenté de nous séparer. Nous sommes ici ensemble et nous le resterons sur le chemin qui nous attend, en dépit des forces des ténèbres qui ont voulu nous empêcher de poursuivre notre voyage.

» Nous sommes ici ensemble et un jour, tôt ou tard, nous devrons nous dire adieu. Même si nous ne nous connaissons pas bien, même si nous n'avons pas échangé autant de paroles que nous ne l'aurions souhaité, nous sommes ici ensemble pour l'une de ces raisons mystérieuses qui nous échappent. C'est la première fois que nous dansons ensemble autour d'un feu, comme les anciens dansaient pour célébrer la vie, eux qui, plus proches de l'Univers, lisaient dans les étoiles de la nuit, dans les nuages et les tempêtes, dans le feu et le vent, un mouvement et une harmonie.

» La danse transforme tout, exige tout de l'être et ne juge personne. Quand on est libre, on peut danser même dans une cellule ou sur un fauteuil roulant, parce qu'il ne s'agit pas que de répéter certains gestes, mais de converser avec Celui qui est plus grand et plus puissant que tout et tous, de parler un langage qui dépasse l'égoïsme et la peur. »

Et là, dans cette nuit de septembre 1970, après avoir été expulsés d'un restaurant et humiliés par la police, ils dansaient et remerciaient Dieu de leur accorder une vie si passionnante, si pleine de nouveautés et de défis.

Ils traversèrent sans grand problème toutes les Républiques qui constituaient le pays appelé Yougoslavie (où ils prirent deux passagers supplémentaires, un berger et un musicien). En arrivant à Belgrade, la capitale, Paulo se souvint avec tendresse, quoique sans nostalgie, de son ex-amoureuse, avec qui il avait quitté le Brésil pour la première fois, qui lui avait appris à conduire, à parler anglais, à faire l'amour. Se laissant emporter par son imagination, il se la figura à côté de sa sœur, en train de courir dans les rues de la ville, ou de s'abriter des bombardements durant la Seconde Guerre mondiale.

« Dès que les sirènes sonnaient, on descendait à la cave. Ma mère nous prenait toutes les deux sur ses genoux, elle nous demandait d'ouvrir la bouche et nous couvrait de son corps.

— Pourquoi, d'ouvrir la bouche ?

— Pour que le bruit ne nous fasse pas exploser les tympans, pour nous éviter de devenir sourdes pour le restant de notre vie. »

*

En Bulgarie, par un accord passé entre les autorités et le chauffeur, ils furent en permanence suivis par une voiture à bord de laquelle se trouvaient quatre types à la mine sinistre. Après l'explosion de joie collective à la frontière autrichienne, le voyage était devenu monotone. Ils avaient prévu de faire étape une semaine à Istanbul, mais ils n'y étaient pas tout à fait : il leur restait exactement cent quatre-vingt-dix kilomètres, une bagatelle en comparaison des trois mille qu'ils avaient déjà parcourus.

*

Deux heures plus tard, Paulo vit se dresser les minarets de deux grandes mosquées.

Istanbul ! Ils arrivaient !

Il avait planifié en détail son emploi du temps dans cette ville. Il se souvenait du spectacle auquel il avait assisté au Brésil, de ces derviches aux jupes tournoyantes qui pivotaient sur eux-mêmes comme sur un axe. Fasciné, il avait décidé d'apprendre cette danse, jusqu'à ce qu'il comprenne que c'était plus qu'une simple danse : c'était un moyen d'entrer en contact avec Dieu. Leurs disciples étaient les soufis, et tout ce qu'il avait lu sur cette philosophie l'avait enthousiasmé davantage encore. Il comptait aller un jour en Turquie pour apprendre leur art, mais pour lui ce projet se situait dans un avenir lointain...

Et voilà qu'il y était ! Les tours se rapprochaient, le trafic était de plus en plus dense... Un embouteillage, encore de la patience, encore de l'attente, mais avant le lever du jour il serait à leur pied.

« Comptez une heure encore pour atteindre le centre, annonça Michael. Nous devons rester une semaine, et pas pour faire du tourisme, je ne vous apprends rien. Avant de quitter Amsterdam... »

Amsterdam ! Il s'était écoulé des siècles, depuis !

« ... on nous a avertis qu'au début du mois, à cause d'une tentative d'assassinat sur le roi de Jordanie, des heurts violents avaient lieu dans une région que nous devons traverser. J'ai essayé de suivre les événements, on dirait que la situation est plus calme, mais nous avons pour principe de ne jamais prendre de risques.

» Nous respecterons donc notre plan, d'autant que Rahul et moi, nous en avons un peu marre de conduire. Nous voulons manger, boire et nous détendre. Ici tout est bon marché, pour ainsi dire donné ; les Turcs sont des gens extraordinaires et l'État, malgré ce que vous verrez dans les rues, n'est pas musulman, mais laïque. Je suggère quand même à nos beautés d'éviter les tenues trop découvertes et à nos mecs adorés de ne pas provoquer de bagarres sous prétexte qu'on s'est moqué de leurs cheveux longs. »

Le message était clair.

« Autre chose : quand j'ai téléphoné de Belgrade pour donner de nos nouvelles, j'ai appris qu'on cherchait à nous interviewer pour avoir des précisions sur le phénomène hippie. Mon chef y voyait une bonne occasion de faire de la publicité à la compagnie, et sur le moment je n'ai pas eu la présence d'esprit de le détromper.

» Donc, il avait indiqué à ce reporter l'endroit où nous irions manger et faire le plein, et en effet le type m'attendait là-bas. Il m'a bombardé de questions auxquelles je n'ai pas su répondre, je me suis contenté de répéter ce que vous dites, que vous êtes libres comme l'air de corps et d'âme. Comme il travaille pour une grande agence française, l'AFP, il m'a demandé s'il pouvait envoyer quelqu'un de leur antenne à Istanbul pour rencontrer directement l'un de vous ; j'ai répondu que je l'ignorais, mais je lui ai donné le nom de l'hôtel où nous serons tous, le moins cher que nous ayons trouvé, où on peut prendre une chambre pour quatre…

— Je veux bien payer plus, si c'est possible, coupa le Français. Marie et moi, nous aimerions une chambre pour deux.

— Même chose pour Mirthe et moi », dit Ryan.

Paulo jeta un regard interrogateur à Karla, qui parut hésiter.

« Nous aussi », dit-elle enfin.

La deuxième muse du groupe aimait montrer que le Brésilien était sous son joug… Jusque-là, ils avaient dépensé beaucoup moins d'argent que prévu, car la plupart du temps, ils se nourrissaient de sandwichs et dormaient dans le véhicule. Quelques jours plus tôt, Paulo avait compté sa fortune : après de longues semaines de voyage, il lui restait 821 dollars. Karla s'était tant ennuyée ces derniers jours qu'elle s'était un peu radoucie. Il y avait entre eux plus de contacts physiques, l'un dormait sur l'épaule de l'autre et il leur arrivait de se tenir par la main. C'était une sensation très agréable, très tendre, bien qu'ils n'aient jamais envisagé de s'embrasser, et encore moins d'aller plus loin.

« Donc, attendez-vous à voir débarquer un journaliste. Si ça ne vous plaît pas, vous n'êtes pas obligés de lui parler. Je ne fais que transmettre l'information. »

L'autocar avança de quelques mètres.

« J'ai oublié un truc important, poursuivit Michael à qui Rahul venait de chuchoter quelques mots à l'oreille. Il est aussi facile de trouver de la drogue à Istanbul qu'à Amsterdam, Paris, Madrid ou Stuttgart. Sauf que si vous êtes pris, personne, vraiment personne, ne pourra vous tirer de prison à temps pour continuer le voyage. Je viens de vous donner un conseil, j'espère qu'il sera entendu et compris. »

Michael se posait des questions : il surveillait étroitement chacun de ses passagers à leur insu, et depuis leur départ trois semaines auparavant, personne n'avait fait une allusion quelconque à la drogue, ni paru ressentir le manque de ce qu'il consommait tous les jours à Amsterdam ou ailleurs.

Par conséquent, pourquoi s'obstinait-on à affirmer qu'elle provoquait une accoutumance ? En tant que médecin, lors de son séjour en Afrique, il avait testé plusieurs plantes hallucinogènes sur lui-même pour voir s'il pouvait ou non les utiliser sur ses patients ;

il savait que seuls les dérivés de l'opium entraînaient une addiction.

Ah, et aussi la cocaïne, qu'on trouvait rarement en Europe puisque les États-Unis consommaient pratiquement toute la production des Andes.

Pourtant, les gouvernements dépensaient des fortunes en publicité antidrogue, alors que le tabac et l'alcool étaient en vente libre partout. C'était peut-être une question d'argent, la véritable raison se trouvait peut-être là : dans les pots-de-vin entre puissants, l'argent engrangé grâce à la publicité, des choses de ce genre.

*

Il savait que la jolie Néerlandaise avait trempé une page de son livre dans une solution de LSD, puisqu'elle en avait parlé aux autres. Ici tout le monde était au courant de tout, le « Courrier Invisible » fonctionnait dans l'autocar. Quand elle le voudrait, elle en déchirerait un bout, le mâcherait et l'avalerait pour avoir les hallucinations souhaitées.

Mais ce n'était pas son problème. Même si l'acide lysergique, cette substance découverte en Suisse par Albert Hofmann et répandue dans le reste du monde par Timothy Leary, un professeur de Harvard, était désormais interdit à la consommation, il était toujours indétectable.

Paulo s'éveilla, le bras de Karla en travers de son torse. Comme elle dormait encore profondément, il réfléchit au meilleur moyen de se dégager sans la réveiller.

Ils étaient rentrés assez tôt à l'hôtel après avoir tous dîné dans le même restaurant. Le chauffeur avait raison, c'était très bon marché... En entrant dans leur chambre, ils avaient découvert qu'elle était prévue pour un couple. Sans faire de commentaires, ils avaient pris une douche, lavé leurs vêtements qu'ils avaient étendus sur le bord de la baignoire, et épuisés, ils s'étaient écroulés sur le lit à deux places. Tous deux n'aspiraient qu'à dormir pour la première fois depuis des semaines dans des conditions décentes, mais leurs deux corps nus qui se touchaient ne l'entendaient pas de cette manière : avant même de s'en rendre compte, ils s'embrassaient.

Paulo eut beaucoup de peine à avoir une érection et Karla ne l'aida pas ; elle se borna à lui montrer que s'il la désirait, elle était prête. C'était la première fois que leur intimité dépassait les baisers et les mains qui se tiennent ; il avait à côté de lui une jolie femme, mais était-il obligé pour autant de lui donner du plaisir ? Se sentirait-elle moins belle et moins désirable, sinon ?

Karla, elle, pensait : *Qu'il souffre un peu, qu'il ait peur de me contrarier s'il me repousse. Si je vois que les choses piétinent, je ferai le nécessaire, mais pour l'instant, attendons.*

Enfin il sentit son sexe durcir et la pénétra, mais malgré ses efforts, l'orgasme arriva plus vite qu'il ne l'imaginait. Après tout, cela faisait longtemps qu'il n'avait pas eu de femme dans son lit...

Karla, qui n'avait bien entendu pas joui, lui donna une tape affectueuse sur la tête, comme une mère à son fils, se tourna sur le côté et comprit qu'elle était lessivée. Elle s'endormit sans penser à ce qui l'aidait à trouver le sommeil d'habitude, et lui aussi.

*

Au réveil, donc, le souvenir de ce qui s'était passé lui revint et il décida de s'esquiver avant d'être forcé d'en parler. Avec mille précautions, il écarta le bras de Karla, passa le pantalon propre qu'il avait dans son sac, se chaussa, enfila son blouson et posa la main sur la poignée de la porte...

« Où vas-tu ? Tu ne me dis même pas bonjour ?

— Bonjour. »

Istanbul doit être une ville très intéressante, je suis sûr qu'elle va te plaire.

« Pourquoi tu ne m'as pas réveillée ? »

Parce que je pense que le sommeil est un moyen de communiquer avec Dieu par le biais des rêves. C'est ce que j'ai appris au début de mes études d'occultisme.

« Je ne sais pas, parce que tu étais peut-être en train de faire un beau rêve ou que tu étais fatiguée. »

Des mots, encore des mots. Qui n'étaient bons qu'à compliquer les choses...

« Tu te rappelles ce qui s'est passé hier soir ? »

Nous avons fait l'amour. Sans trop l'avoir cherché, parce que nous étions nus dans le même lit.

« Oui. Et j'aimerais que tu m'excuses. Je sais que tu as été déçue.

— Je n'attendais rien. Tu vas retrouver Ryan ? »

En fait, se dit-il, la vraie question était : « Tu vas retrouver Ryan *et Mirthe* ? »

« Non.

— Tu sais où tu vas ?

— Je sais ce que je veux trouver, mais je ne sais pas où. Je compte demander à la réception, ils devraient pouvoir me renseigner. »

Il espérait qu'elle avait terminé son interrogatoire, qu'elle ne l'obligerait pas à lui en dire plus : il cherchait un lieu où il pourrait rencontrer des gens qui étaient en contact avec les derviches tourneurs.

« Je voudrais assister à une cérémonie religieuse en rapport avec la danse.

— Tu vas passer ta première journée dans une ville si extraordinaire et un pays si particulier en faisant la même chose qu'à Amsterdam ? Tu n'en as pas assez des Hare Krishna ? La nuit autour du feu avant la frontière ne t'a pas suffi ? »

Non... Mais parce qu'elle l'avait mis en colère, par envie de la provoquer, il lui parla des derviches tourneurs turcs qu'il avait vus au Brésil. Des hommes coiffés d'un petit chapeau, aux jupes d'un blanc immaculé, qui se mettaient à tourner sur eux-mêmes comme la Terre ou une planète sur son axe. Au bout d'un certain temps, ce mouvement finissait par les entraîner dans une sorte de transe. Ils appartenaient à un ordre spécial, tantôt reconnu et tantôt abominé par l'Islam d'où venait leur inspiration première : le soufisme, fondé par Rûmî, un poète du XIIIe siècle né en Perse et mort en Turquie.

« Vois-tu, le soufisme n'admet qu'une vérité : rien ne peut être divisé, le visible et l'invisible marchent ensemble, les gens ne sont que des illusions de chair et d'os. Voilà pourquoi je ne me suis pas trop intéressé à la discussion sur les réalités parallèles...

» Nous sommes tout et tous en même temps, un temps qui, soit dit en passant, n'existe pas non plus. Nous l'oublions parce que les journaux, la radio et la télévision nous bombardent sans cesse d'informations, mais si nous admettons l'Unité, nous n'avons plus besoin de rien d'autre. Nous connaîtrons un bref instant le sens de la vie, et ce bref instant nous donnera la force d'atteindre ce que nous appelons la mort, et qui est en vérité un passage vers le temps circulaire. Tu as compris ?

— Parfaitement. Moi, de mon côté, je vais chercher le souk principal, je suppose qu'il y en a un, où des gens qui travaillent sans relâche tentent de montrer aux rares touristes qui arrivent jusqu'ici l'expression la plus pure de leur cœur, l'artisanat. Je ne compte rien acheter, tu t'en doutes, et ce n'est pas une question d'argent, plutôt de manque de place dans mes bagages. Mais je m'efforcerai autant que possible de leur communiquer mon admiration et mon respect pour leur travail. Parce que pour moi, malgré la leçon de philosophie que tu viens de me donner, le langage unique, c'est celui de la beauté. »

Elle alla à la fenêtre et sa nudité se découpa contre le soleil. Même s'il cherchait à l'agacer, il éprouvait pour elle un profond respect. En sortant, il se demanda s'il n'aurait pas mieux fait d'aller avec elle : bien qu'il se soit documenté sur le soufisme, il lui serait sans doute difficile de pénétrer dans ce monde fermé…

Karla le regarda partir depuis la fenêtre. Pourquoi ne l'avait-il pas invitée à l'accompagner ? Après tout, il leur restait encore six jours à passer ici, le marché n'allait pas fermer ses portes… Et ce devait être une expérience inoubliable d'approcher de plus près une telle tradition.

Une fois de plus, ils avaient beau avoir tenté de se retrouver l'un l'autre, ils avaient pris des chemins opposés…

Karla retrouva la plupart des autres en bas et chacun l'invita à une promenade particulière, la Mosquée bleue, Sainte-Sophie, le musée archéologique... Les sites uniques ne manquaient pas à Istanbul ; on pouvait par exemple visiter une citerne gigantesque munie de douze rangées de colonnes (trois cent trente-six au total, précisa quelqu'un) qui servait autrefois à stocker l'eau destinée aux empereurs byzantins. Elle s'excusa en arguant qu'elle avait d'autres projets et personne ne lui posa de questions sur son programme, ni sur le fait qu'elle avait partagé la chambre du Brésilien. Après un petit déjeuner pris en commun, chaque groupe partit vers sa destination.

Celle de Karla avait peu de chance de figurer dans les guides touristiques. Elle descendit jusqu'au bord du détroit du Bosphore et contempla le pont rouge qui séparait l'Europe de l'Asie. Un pont qui reliait deux continents si divers et si éloignés l'un de l'autre ! Elle fuma deux ou trois cigarettes, ouvrit un peu l'encolure du chemisier discret qu'elle avait choisi et profita un instant du soleil, jusqu'à ce que deux ou trois hommes l'abordent et tentent d'engager la conversation. Elle fut vite obligée de refermer son décolleté et de changer de place.

Depuis que le voyage était devenu monotone, elle s'était mise à faire de l'introspection, à tenter de répondre à son interrogation favorite : *Qu'est-ce qui me motive à aller au Népal ? Mon éducation luthérienne est plus forte que l'encens, les mantras, les postures, la contemplation, les livres sacrés et les sectes ésotériques. Je n'ai jamais cru à ces choses-là.* Elle n'avait pas besoin d'aller à Katmandou pour trouver des réponses, elle les connaissait déjà, elle était lasse de devoir toujours prouver sa force, son courage, lasse de son agressivité constante, de son esprit de compétition incontrôlable. Tout ce qu'elle avait fait dans sa vie avait eu pour but de dépasser les autres, et elle n'avait jamais réussi à se dépasser elle-même. Et bien qu'elle soit encore très jeune pour en arriver là, elle s'était accommodée d'être ce qu'elle était. Elle voulait que tout change, alors qu'elle était incapable de se changer elle-même…

Elle aurait aimé en dire davantage à Paulo, lui faire comprendre qu'il prenait de plus en plus de place dans son existence. Elle pensait avec un plaisir morbide qu'alors qu'il se sentait coupable de son échec de la veille, elle n'avait rien fait pour le détromper – elle n'avait pas dit : « Mon amour *(mon amour)*, ce n'est pas grave, c'est toujours comme ça la première fois, nous nous découvrirons peu à peu. »

Mais son caractère l'empêchait de s'approcher davantage de lui, comme d'ailleurs de tout autre. Soit parce qu'elle manquait de patience, soit parce que ses partenaires ne collaboraient pas beaucoup, n'essayaient pas de l'accepter telle qu'elle était... En général ils s'éloignaient vite, incapables du moindre effort pour briser le mur de glace derrière lequel elle s'abritait.

*

Elle se sentait encore capable d'aimer, sans rien attendre en retour, ni récompenses, ni changements, ni remerciements.

Du reste, elle avait aimé souvent au cours de sa vie. Et à chaque fois, l'énergie de l'amour transformait son univers. Mais cela ne durait pas, car elle ne supportait pas d'aimer longtemps.

Elle aurait voulu être un vase où le Grand Amour viendrait déposer ses fleurs et ses fruits, et où l'eau vive les conserverait aussi frais que s'ils venaient d'être cueillis, pour être offerts à celui qui aurait le courage, oui c'était le mot juste, le *courage,* de les récolter. Mais personne ne venait jamais, ou plutôt ceux qui venaient repartaient terrifiés : elle n'était pas un réceptacle, mais une tempête pleine d'éclairs, de vent et de tonnerre, une force de la nature impossible à dompter, qu'on pouvait à la rigueur diriger pour faire tourner les moulins, éclairer des villes ou répandre l'effroi.

Elle aurait voulu que les hommes puissent déceler la beauté en elle, mais ils ne voyaient que l'ouragan et ne tentaient même pas de s'en abriter. Ils préféraient s'enfuir en lieu sûr pour de bon.

Elle repensa à sa famille. À ces croyants pratiquants qui n'avaient cependant jamais essayé de lui imposer quoi que ce soit. Bien sûr, quand elle était petite, une ou deux fois, comme tous les enfants de son entourage, elle avait reçu une gifle, ce qu'elle jugeait normal et qui ne l'avait pas traumatisée.

Elle était douée pour les études, brillante en sport, plus jolie que ses camarades de classe (et elle le savait), elle n'avait jamais eu de mal à se trouver un petit ami, et malgré tout elle préférait être seule.

Être seule. Son grand plaisir, et la cause de son envie d'aller au Népal, de s'installer dans une grotte et d'y rester jusqu'à ce que ses cheveux blanchissent, que ses dents tombent, que les villageois de l'endroit cessent de lui apporter à manger et qu'elle contemple son ultime coucher de soleil sur la neige, voilà tout ce qu'elle souhaitait.

Seule.

Ses camarades d'école enviaient son aisance vis-à-vis des garçons, ses amis de l'université admiraient le fait qu'elle soit indépendante et qu'elle sache exactement ce qu'elle voulait, ses collègues de travail étaient ébahis par sa créativité... Bref, elle était une femme parfaite, la reine de la montagne, la lionne de la jungle, la sauveuse des âmes errantes. À partir de ses dix-huit ans, des hommes très différents l'avaient demandée en mariage. Très différents, mais le plus souvent très riches, qui assortissaient leur proposition de cadeaux, de bijoux, par exemple (deux bagues serties de diamants, parmi celles qu'elle possédait, avaient suffi à payer le voyage, et il lui restait encore de quoi vivre longtemps).

Chaque fois qu'on lui offrait un présent coûteux, elle prévenait qu'elle ne le rendrait pas en cas de séparation. Ses prétendants riaient, parce que ayant été défiés toute leur vie par des hommes plus forts qu'eux, ils ne la prenaient pas au sérieux. Ils finissaient par tomber dans l'abîme qu'elle avait creusé autour d'elle et prendre conscience qu'en réalité, au lieu d'approcher cette fille fascinante, ils étaient restés sur un pont fragile fait de barbelés, qui ne supportait pas le poids de la banalité et de la répétition. Quand survenait la rupture, au bout d'une semaine ou d'un mois, elle n'avait aucun besoin de se justifier, car ils n'avaient même pas le courage d'exiger qu'elle leur rende leur bien.

Jusqu'à ce que l'un d'eux, au troisième jour de leur liaison, alors qu'ils prenaient leur petit déjeuner au lit dans un hôtel luxueux de Paris, où ils étaient allés assister à la promotion d'un livre (un voyage à Paris ne se refuse pas, c'était l'un de ses principes), prononce des paroles qu'elle n'oublierait jamais :

« Tu fais une dépression. »

Elle s'était esclaffée. Ils se connaissaient à peine, ils avaient dîné la veille dans un excellent restaurant, bu le meilleur vin et le meilleur champagne, et ce type lançait une telle affirmation ?

« Ne ris pas. Tu souffres de dépression, ou d'angoisse, ou des deux. Mais il est sûr qu'avec l'âge, tu t'engageras sur une voie sans retour. Mieux vaut que tu commences à t'y préparer. »

Elle faillit protester qu'elle était privilégiée, qu'elle avait une famille adorable, un métier passionnant et l'admiration des autres, mais ce ne fut pas ce qui sortit de sa bouche.

« Qu'est-ce qui te permet d'affirmer une chose pareille ? »

Elle lui jeta un regard méprisant. L'homme, dont elle mit un point d'honneur à oublier le nom l'après-midi même, répondit qu'il préférait ne pas entrer dans les détails, qu'il était psychiatre mais n'était pas là en tant que tel.

Pourtant, elle insista. Et peut-être aurait-il fini par parler, parce qu'à ce moment-là, elle avait l'impression qu'il rêvait de passer le restant de sa vie avec elle.

« Comment peux-tu affirmer que je suis dépressive alors que tu me connais depuis si peu de temps ?

— Parce que en quarante-huit heures, j'ai eu le loisir de t'observer. Pendant la séance de signatures, mardi soir, et hier au dîner. Est-ce qu'il t'est arrivé d'aimer quelqu'un ?

— Oui, souvent. »

C'était un mensonge.

« Et qu'est-ce que tu entends par aimer ? »

Cette question l'effraya tant qu'elle tâcha d'y répondre en usant au maximum de son inventivité.

« C'est tout autoriser. Cesser de penser au lever du soleil ou aux forêts enchantées, ne pas lutter contre le courant, se laisser posséder par la joie. Voilà, pour moi, c'est ça, dit-elle calmement et à présent sans peur.

— Continue.

214

— C'est être toujours libre, de façon que la personne qui est avec nous ne se sente jamais prisonnière. C'est un sentiment tranquille, serein, je dirais même solitaire. C'est aimer pour aimer, pas dans le but de se marier, d'avoir des enfants, de ne manquer de rien, ou autre.

— Ce sont de belles paroles. Mais puisque nous sommes ensemble, je te suggère de réfléchir à ce que tu viens de dire. Ne gâchons pas notre séjour dans cette ville unique, moi en t'obligeant à t'interroger sur toi-même, et toi en me faisant travailler. »

Très bien, tu as raison. Mais qu'est-ce qui te permet de diagnostiquer chez moi la dépression ou l'angoisse ? Pourquoi t'intéresses-tu si peu à ce que j'ai à dire ?

« Et quelle serait la cause de cette dépression ?

— Une des réponses possibles, ce serait que tu n'as encore jamais aimé pour de bon. Mais à ce stade elle est déjà inutile. Je connais pas mal de gens déprimés qui me consultent justement pour, disons, un excès d'amour et de confiance. En fait – c'est mon avis et je ne devrais pas te le donner –, ta dépression a une origine physique, ton organisme doit manquer d'une substance quelconque, peut-être la sérotonine, la dopamine... Dans ton cas, certainement pas la noradrénaline.

— Donc la dépression est d'origine chimique ?

— Bien sûr que non. Il existe une infinité de facteurs. Mais si nous nous habillions plutôt pour aller nous promener au bord de la Seine ?

— D'accord, quand tu auras terminé ton raisonnement. Quels facteurs ?

— Selon toi, l'amour peut être vécu dans la solitude. Sans aucun doute, mais seulement par des gens qui ont décidé de consacrer leur vie à Dieu ou à leur prochain. Des saints, des visionnaires, des révolutionnaires. Moi, je parle d'un amour plus humain, qui ne se révèle qu'en présence de l'être aimé. Qui provoque une immense souffrance quand nous ne pouvons l'exprimer, ni être remarqué par l'objet de notre amour. Je suis certain que tu es déprimée parce que tu n'es jamais présente. Tes yeux vont d'un point à un autre, ils ne brillent pas, ils ne reflètent que de l'ennui. Pendant la présentation du livre, j'ai remarqué que tu faisais un effort surhumain pour communiquer avec les autres : tous devaient te sembler fades, ordinaires, inférieurs. »

Il s'était levé du lit.

« Bon, ça suffit. Je prends mon bain tout de suite ou tu veux y aller d'abord ?

— Commence, toi. Je vais mettre de l'ordre dans mes bagages. Ne te presse pas, j'ai besoin de rester un peu seule pour digérer ce que j'ai entendu. Il me faudrait au moins une demi-heure. »

Il eut un rire ironique, qui signifiait : « Qu'est-ce que je t'avais dit ? » avant d'entrer dans la salle de bains. En cinq minutes elle s'était habillée et avait bouclé sa valise. Elle ouvrit et referma la porte sans bruit. Elle traversa le hall, salua les employés qui la regardaient d'un air surpris. En principe, elle aurait dû expliquer pourquoi elle sortait avec ses bagages sans avoir réglé sa note, mais comme la suite luxueuse n'était pas à son nom, personne ne lui posa de questions.

Elle s'arrêta pour demander au réceptionniste quand partait le prochain vol pour les Pays-Bas. « Quelle ville ? — N'importe, c'est mon pays, je ne me perdrai pas. » Le prochain avion partait à 14 h 15. « Voulez-vous que j'achète le billet et que je l'ajoute à votre note d'hôtel ? »

Elle hésita, pensa qu'elle devrait peut-être se venger de ce type qui avait lu dans son âme sans sa permission et qui par-dessus le marché avait pu se tromper.

Mais elle finit par répondre : « Non, merci, j'ai de l'argent sur moi. » Elle s'arrangeait toujours, où qu'elle voyage, pour ne pas dépendre des hommes qu'elle choisissait de temps à autre pour qu'ils lui tiennent compagnie.

*

Elle revint au présent et regarda de nouveau le pont rouge, passa en revue tout ce qu'elle avait lu sur la dépression – se rappela aussi tout ce qu'elle n'avait pas lu parce qu'elle commençait à être épouvantée –, et décida qu'à partir du moment où elle aurait traversé ce pont, elle serait une autre femme. Elle cesserait de tomber amoureuse de types qui n'étaient pas pour elle, comme ce Paulo qui venait de l'autre bout du monde. Il allait lui manquer et soit elle ferait tout pour l'accompagner, soit elle resterait à méditer en se souvenant de son visage dans la grotte qu'elle aurait trouvée au Népal. De toute façon, elle ne pouvait plus continuer à mener cette vie, à tout avoir et à ne profiter de rien.

Paulo se trouvait devant une porte dépourvue de plaque ou d'indication, dans une rue étroite bordée de maisons qui semblaient à l'abandon. Après beaucoup d'efforts et de questions, il avait réussi à découvrir un centre de soufisme, bien qu'il ne soit pas certain d'y trouver des derviches tourneurs. Pour atteindre ce but, il était d'abord allé au Grand Bazar (où il espérait rencontrer Karla, mais son espoir avait été vain), et s'était mis à mimer la danse sacrée dans une allée en articulant aussi clairement que possible le mot « derviche ». Beaucoup de gens riaient, d'autres s'écartaient de lui, parce qu'ils le prenaient pour un fou, ou pour éviter d'être sur la trajectoire de ses bras ouverts.

Il ne se découragea pas, car plusieurs étalages exposaient des bonnets rouges et coniques qu'on associait en général aux Turcs. Il en acheta un, s'en coiffa et reprit son manège, répétant « derviche » et demandant par signes où il pourrait rencontrer des gens qui se livraient à cet exercice. Cette fois personne ne rit, les gens se mirent à parler entre eux en le regardant d'un air grave. Il ne s'avouait pas vaincu, mais il commençait à être las de jouer les mimes. Il pouvait poursuivre ses recherches un autre jour et visiter le Bazar un peu plus en détail...

À ce moment-là, un homme aux cheveux blancs s'approcha de lui. Il avait l'air d'avoir compris, car il lui demanda d'un ton surpris :

« *Darwesh ?* »

Oui, ce devait être la même chose en turc... Bien sûr, il prononçait mal le mot ! Comme pour le confirmer, le vieillard imita à son tour les mouvements des derviches tourneurs, avant de s'arrêter net et de leregarder d'un air choqué.

« *You muslim ?* »

Il fit signe que non.

« *No !* dit alors l'homme en secouant la tête. *Only Islam !* »

Paulo se campa devant lui.

« *Poet* Rûmî ! *Darwesh !* Soufi ! »

Le nom de Rûmî et le mot poète durent attendrir le cœur du vieillard, car tout en feignant la colère et la mauvaise volonté, il le prit par le bras, l'entraîna hors du Bazar et l'amena jusqu'à la bâtisse quasi en ruine devant laquelle il se trouvait à présent... Et où il se demandait que faire à part frapper à la porte.

Après l'avoir fait plusieurs fois sans succès, il posa la main sur la poignée et constata que le battant n'offrait aucune résistance. Pouvait-il entrer ? Ne risquait-il pas d'être accusé d'effraction ? Et si on avait mis des chiens féroces dans le bâtiment abandonné pour empêcher les mendiants de s'y installer, comme on le racontait ?

Il entrouvrit, mais au lieu des aboiements attendus, ce fut une voix qu'il entendit. Une seule, distante, qui parlait dans une langue qu'il reconnut comme de l'anglais bien qu'il ne comprenne pas le sens des paroles ; en même temps, il perçut un signe qui ne trompait pas : l'odeur d'encens.

Il tendit l'oreille pour tenter de distinguer ce que disait la voix grave. Impossible, il fallait qu'il entre. Qu'avait-il à perdre ? Le pire qui puisse lui arriver, c'était qu'on le jette dehors. Or il était à deux doigts de réaliser un de ses rêves, et de façon inattendue : entrer en contact avec les derviches tourneurs. Il devait prendre le risque.

Il s'avança et referma la porte derrière lui. Lorsque ses yeux furent habitués à la pénombre, il vit qu'il se trouvait dans une sorte d'ancien entrepôt vide, un espace beaucoup plus vaste qu'on ne l'aurait supposé de l'extérieur, aux murs peints en vert et au plancher vermoulu ; le peu de lumière que laissaient pénétrer certaines vitres cassées lui permit de repérer dans un coin un vieillard assis sur une chaise en plastique, qui cessa brusquement sa litanie quand il prit conscience qu'il avait un visiteur.

Il prononça quelques mots en turc, et Paulo secoua la tête. Le vieil homme l'imita d'un air rageur, manifestant sa contrariété d'avoir été interrompu dans un rituel important.

« Que voulez-vous ? » demanda-t-il dans un anglais mâtiné d'accent français.

Que répondre, sinon la vérité ? Rencontrer les derviches tourneurs.

L'autre éclata de rire.

« Parfait ! Vous êtes ici pour la même raison que moi : je suis parti de Tarbes, une petite ville perdue dans les montagnes françaises, en quête de connaissance et de sagesse. C'est bien ce que vous voulez, non ? Faites comme moi quand j'en ai rencontré un : étudiez le poète pendant mille et un jours, apprenez par cœur tout ce qu'il a écrit, répondez à n'importe quelle question de n'importe qui sur la sagesse de ses poèmes, et ensuite votre entraînement pourra commencer. Parce que votre voix se confondra avec celle de l'Illuminé et de ses vers écrits il y a huit cents ans.

— Rûmî ? »

À l'énoncé de ce nom, le vieillard fit une révérence. Paulo s'assit sur le plancher.

« Comment puis-je apprendre ? J'ai déjà lu pas mal de ses poésies, mais sans comprendre comment il les mettait en pratique.

— L'être en quête de spiritualité ignore beaucoup de choses, parce qu'il lit en cherchant à emmagasiner ce qu'il juge sage dans son intellect. Vendez vos livres, achetez la folie et l'émerveillement, et vous vous approcherez un peu. Les livres nous apportent des opinions et des études, des analyses et des comparaisons, alors que la flamme sacrée de la folie nous conduit à la vérité.

— Je ne suis pas chargé de livres. J'aimerais faire une expérience, dans ce cas celle de la danse.

— Ce n'est pas une danse, mais la recherche de la connaissance. La raison, c'est l'ombre d'Allah. Quel pouvoir a l'ombre face au soleil ? Aucun. Sortez de l'ombre, allez jusqu'au soleil et acceptez que ses rayons vous inspirent, au lieu de compter sur des paroles de sagesse. »

Le vieillard désigna une fente par où pénétrait un rai de lumière, à une dizaine de mètres de sa chaise. Paulo s'en approcha.

« Faites une révérence au soleil. Laissez-le inonder votre âme. La connaissance est une illusion, l'extase est la réalité. La première nous emplit de culpabilité, la seconde nous fait communier avec Celui qui est l'Univers avant son existence et après sa destruction. Posséder la connaissance, c'est tenter de se laver avec du sable alors qu'il existe un puits d'eau claire à côté. »

À ce moment précis, les haut-parleurs des minarets se mirent à psalmodier des paroles et leur son emplit la ville entière : c'était l'heure de la prière. Paulo avait offert son visage au soleil, la poussière dansait dans le rayon et il comprit aux bruits dans son dos que le vieillard venait de se tourner vers La Mecque et de s'agenouiller pour prier. Il s'efforça de faire le vide dans son esprit, ce qui n'était pas difficile dans ce lieu dépourvu de tout ornement ; on n'y voyait pas même de ces phrases du Coran calligraphiées qui ressemblaient à des tableaux. Il était dans le néant total, loin de son pays et de ses amis, de ce qu'il avait appris, de ce qu'il voulait apprendre, il était au-delà du bien et du mal. Il était ici, seulement ici et maintenant.

Il fit une révérence, releva la tête, rouvrit les yeux et sut que le soleil lui parlait, non pour lui enseigner quoi que ce soit, simplement en laissant son éclat inonder tout autour de lui.

Mon aimé, ma lumière, que ton âme soit toujours en adoration. Tôt ou tard tu devras quitter ce lieu pour retourner vers les tiens, car le temps n'est pas venu pour toi de renoncer à tout. Mais le Maître Suprême, qui a pour nom Amour, s'arrangera pour que tu sois l'instrument de Mes paroles, celles que tu entends sans que je les prononce.

Si tu t'abandonnes au Grand Silence, tu apprendras de lui. Il peut être traduit en paroles, car c'est son destin, mais quand il le sera, n'essaie pas d'expliquer le Mystère et fais en sorte que les gens le respectent.

Tu veux être un pèlerin sur le chemin de la Lumière ? Apprends à marcher dans le désert. Parle avec ton cœur, les mots ne sont que fortuits, et bien qu'ils te soient utiles pour communiquer avec autrui, ne te laisse pas trahir par les significations et les explications. Les gens n'entendent que ce qu'ils ont envie d'entendre. Ne tente jamais de convaincre personne, limite-toi à suivre ton destin sans peur, ou même avec peur, mais poursuis ton chemin.

Tu veux atteindre le ciel et arriver jusqu'à moi ? Apprends à voler avec deux ailes, discipline et miséricorde.

Les temples, les églises et les mosquées sont pleins de gens qui ont peur du dehors et se laissent endoctriner par des paroles mortes. Mon temple, c'est le monde, ne sors pas de mon temple. Restes-y, même si c'est difficile, même si les autres rient de toi.

Parle et ne tente pas de convaincre. N'accepte jamais de disciples, ni de gens qui croient en tes paroles, parce

que alors ils ne croiront plus ce que leur dit leur cœur,
ce qui constitue en vérité l'unique discours qu'ils
doivent écouter.

Cheminez ensemble, buvez et réjouissez-vous, mais
maintenez la distance pour ne pas être forcé de vous
soutenir les uns les autres : la chute fait partie du
voyage et chacun doit apprendre à se relever seul.

Les haut-parleurs des minarets s'étaient tus.
Avait-il parlé longtemps avec le soleil ? Le rayon
éclairait à présent un endroit distant de lui. Il se
retourna et s'aperçut que le vieillard, cet homme qui
avait fait tout ce chemin pour chercher ce qu'il aurait
pu trouver dans les montagnes de sa région, n'était
plus là. Il était seul.

Il était temps de rentrer à l'hôtel, car il sentait qu'il
se laissait posséder peu à peu par la flamme sacrée de
la Folie. Inutile de confier à quiconque où il était
allé ; il sentait ses yeux briller d'un nouvel éclat, et
espérait que ce changement passerait inaperçu.

Après avoir allumé le dernier bâtonnet d'encens,
qu'il trouva au pied de la chaise, il sortit et ferma la
porte derrière lui. Il savait maintenant que les portes
sont toujours ouvertes pour ceux qui essaient d'en
franchir le seuil. Il suffit de tourner la poignée.

La journaliste de l'AFP était outrée qu'on l'ait envoyée interviewer des hippies *(des hippies !)* au beau milieu de la Turquie. Rencontrer ces gens qui partaient pour l'Asie en autocar, comme les nombreux immigrants qui arrivaient en sens inverse, attiré par les richesses et par les opportunités fournies par l'Europe. Elle n'avait de préjugés ni envers les uns ni envers les autres, mais à présent que des conflits avaient éclaté au Moyen-Orient – le télex ne cessait de vomir des infos alarmantes, il y avait des rumeurs de bataillons en Yougoslavie qui s'entre-tuaient, la Grèce était sur le pied de guerre contre les Turcs, les Kurdes réclamaient leur autonomie, le Président ne savait trop que faire, Istanbul était devenu un nid d'espions où cohabitaient des agents du KGB et de la CIA, le roi de Jordanie avait écrasé une rébellion et les Palestiniens promettaient de se venger, qu'est-ce qu'elle faisait donc dans cet hôtel de troisième catégorie ?

Elle obéissait aux ordres, voilà tout. Elle avait reçu l'appel téléphonique du chauffeur de ce « Magic

Bus », un Britannique sympathique qui semblait avoir beaucoup bourlingué et l'attendait au salon de l'hôtel. Visiblement, il ne comprenait pas plus qu'elle l'intérêt de la presse étrangère pour le sujet, mais il était résolu à collaborer du mieux possible.

Aucun hippie n'était en vue dans le salon, sauf un individu aux allures de Raspoutine et un homme d'une cinquantaine d'années à la tenue relativement discrète, accompagné d'une jeune fille.

« C'est lui qui répondra à vos questions, annonça le chauffeur. Il est français. »

À la bonne heure, songea la journaliste. L'interview serait simple et rapide. Elle commença par prendre ses coordonnées. (Nom : Jacques / âge : quarante-sept ans / né à : Amiens, France / état civil : divorcé / profession : ex-directeur marketing de la plus grosse entreprise française de cosmétiques)

« Comme on a dû vous en informer, je prépare un reportage pour l'AFP sur ce mouvement qui d'après ce que j'ai pu lire a pris naissance aux États-Unis... (Elle se retint d'ajouter : « chez les fils à papa qui n'ont rien de mieux à faire »)... et qui s'est répandu comme une traînée de poudre à la surface du globe. »

Jacques approuva de la tête, tandis qu'elle poursuivait mentalement : « Plus exactement, dans les zones habitées par les nantis. »

« Que voulez-vous savoir exactement, Madame ? »

Il se repentait déjà d'avoir accepté de répondre au lieu de visiter la ville et de se distraire avec les autres.

« En bref, nous savons que c'est un mouvement sans préjugés, dont les principaux intérêts sont la drogue, la musique, les festivals en plein air où tout est permis, les voyages, et le mépris total et absolu de tous ceux qui luttent en ce moment pour un idéal, une société plus libre et plus juste...

— C'est-à-dire ?

— Ceux qui tentent de libérer les peuples opprimés, de dénoncer les injustices, de participer à la nécessaire lutte des classes où l'on paie de son sang ou de sa vie pour que le seul avenir de l'humanité, le socialisme, cesse d'être une utopie et devienne bientôt une réalité. »

Jacques approuva de la tête. Inutile de répondre aux provocations de ce genre s'il ne voulait pas perdre sa première journée à Istanbul, si précieuse. Il se prépara à écouter la suite.

« Ces gens paraissent avoir une notion de l'amour beaucoup plus libre, je dirais plus libertine, dans laquelle des hommes d'âge mûr ne sont pas gênés de s'exhiber en compagnie de filles qui ont l'âge d'être les leurs... »

Il aurait bien laissé passer aussi cette pique imbécile, mais quelqu'un répliqua à sa place.

« La fille qui a l'âge d'être la sienne, j'imagine que vous parlez de moi, Madame, est bel et bien sa fille. Mais nous n'avons pas été présentées : je m'appelle Marie, j'ai vingt ans et je suis née à Lisieux. Je suis étudiante en sciences politiques et admiratrice de Camus et de Simone de Beauvoir. J'écoute Dave Brubeck, Grateful Dead et Ravi Shankar. En ce moment, je rédige une thèse sur la façon dont le paradis socialiste pour lequel des gens donnent leur vie, appelé également Union soviétique, est devenu aussi oppressif que les dictatures imposées au tiers-monde par les pays capitalistes comme les États-Unis, la Grande-Bretagne, la Belgique ou la France. Voulez-vous que j'ajoute quelque chose ? »

La journaliste déglutit, la remercia, se demanda un instant si cette fille pouvait mentir, et conclut que non. Elle s'efforça de dissimuler son effarement et comprit qu'elle avait sans doute trouvé le ton de son article : l'histoire d'un homme, ex-directeur marketing d'une grande entreprise française qui en un moment de crise existentielle décide de tout lâcher et d'emmener sa fille en voyage autour du monde sans prendre en considération les risques qu'il fait courir à cette petite, disons à cette jeune fille. Un peu trop mûre pour son âge, à en juger par sa façon de parler. Mal à l'aise de s'être fait moucher, la journaliste tenta de reprendre l'initiative.

« Vous avez déjà pris des drogues ?

— Bien entendu : marijuana, décoction de champignons hallucinogènes, plus quelques trucs chimiques que je n'ai pas supportés. En revanche, je n'ai jamais touché à l'héroïne, ni à la cocaïne, ni à l'opium. »

La femme jeta un regard en coulisse au père, qui écoutait d'un air impassible.

« Vous estimez aussi qu'on est libre de coucher avec n'importe qui ?

— Depuis que nous disposons de la pilule anti-conceptionnelle, je ne vois pas de raison de penser le contraire.

— Vous pratiquez l'amour libre vous-même ?

— Ça, ça ne vous regarde pas. »

Voyant que la conversation risquait de mal tourner, Jacques entreprit de changer de sujet.

« Nous étions bien ici pour parler des hippies, n'est-ce pas ? Vous avez très bien défini notre philosophie. Que voulez-vous savoir de plus ? »

« Notre philosophie ? » La journaliste était estomaquée. C'était un homme de près de cinquante ans qui employait ces termes ?

« Par exemple, pourquoi vous vous rendez au Népal en autocar. Il me semble deviner, à votre allure et à certains détails vestimentaires, que vous auriez les moyens de prendre l'avion.

— Parce que le plus important, c'est le voyage. J'ai envie de rencontrer d'autres gens que ceux que je côtoyais sur Air France en première classe, où personne n'adresse la parole à son voisin même si le vol dure douze heures.

— Je comprends, mais il existe...

— Hum, des autocars plus confortables que ce bus scolaire recyclé aux suspensions fatiguées et aux sièges bien raides, je suppose que c'est ce que vous voulez dire ? Il se trouve que dans mon incarnation précédente, à savoir mon travail de directeur de marketing, j'ai fréquenté tous les gens que je devais connaître. Pour être franc, chacun était la copie conforme des autres : mêmes rivalités, mêmes intérêts, même recherche d'ostentation... Un milieu radicalement différent de celui de mon enfance, où je travaillais avec mon père dans des champs près d'Amiens. »

La journaliste, consciente qu'elle avait perdu l'avantage, se mit à feuilleter ses notes. Ils étaient coriaces, tous les deux.

« Que cherchez-vous, Madame ?

— Ce que j'avais noté sur les hippies.

— Mais vous avez très bien résumé : sexe, drogue, voyage et rock'n'roll. »

Cet homme l'énervait prodigieusement...

« C'est peut-être l'idée que vous en avez, Monsieur, mais en réalité c'est bien autre chose.

— Ah bon, et quoi ? J'aimerais que vous me l'appreniez, parce que avant que Marie, qui me savait très malheureux, m'ait invité à partir avec elle, je n'ai guère eu le temps de me renseigner en détail. »

La journaliste esquiva la question. Elle déclara que c'était parfait, qu'elle avait obtenu les réponses qu'elle souhaitait, tout en songeant qu'elle pouvait inventer ce qu'elle voulait à partir de cette interview sans que personne ne s'en aperçoive. Mais Jacques insista.

« Voulez-vous un café, un thé ? »

J'en ai marre de ce thé sucré à la menthe...

« Un café.

— Turc ou expresso ? »

Turc, naturellement, puisque je suis en Turquie ! Quelle idée de passer le café avant que la poudre ait eu le temps d'infuser !

« Turc, je vous prie.

— D'accord. Je pense que ma fille et moi, nous avons mérité d'en savoir un peu plus. Nous ignorons, par exemple, d'où vient le mot "hippie". »

Elle feignit de ne pas avoir remarqué l'ironie évidente et décida de poursuivre. Elle avait vraiment envie d'un café.

« Personne ne le sait. Mais si, en bons Français que nous sommes, nous voulons définir l'origine de tout, je dirais que ne pas manger de viande, pratiquer l'amour libre et vivre en communauté sont des préceptes apparus en Perse, dans un culte fondé par un certain Mazdak dont il ne nous reste pas grand-chose. Toutefois, comme nous sommes forcés de nous intéresser de plus en plus au mouvement, des journalistes ont découvert des principes semblables chez des philosophes grecs, les cyniques.

— Les cyniques ?

— Oui. Rien à voir avec le sens moderne du mot. Le plus connu de leurs émules a été Diogène. Selon lui, nous sommes tous éduqués à posséder plus que le nécessaire ; nous devons tous oublier la société qu'on nous impose pour revenir aux valeurs primitives : vivre en accord avec les lois de la nature, nous contenter de peu, nous réjouir de chaque nouvelle journée et renoncer à tout ce qu'on nous a inculqué, pouvoir, appât du gain, avarice, etc. Pour les cyniques, l'unique but de l'existence était de se libérer du superflu, de trouver de la joie à chaque instant, à chaque respiration. D'ailleurs, selon la légende, Diogène vivait dans un tonneau. »

Le chauffeur s'approcha. Le hippie à tête de Raspoutine devait parler français, parce qu'il s'assit par terre près d'eux pour écouter. Le café arriva, ce qui encouragea la journaliste à poursuivre son cours magistral. L'hostilité générale avait soudain disparu, et elle était à présent le centre de l'attention.

« Cette philosophie s'est répandue durant le christianisme, lorsque les moines allaient chercher la paix au désert pour communiquer avec Dieu. Et elle se perpétue jusqu'aujourd'hui par le biais de philosophes connus comme l'Américain Thoreau ou le libérateur de l'Inde, Gandhi. Simplifiez, disaient-ils, simplifiez et vous serez heureux.

— Mais comment s'est-elle transformée en une espèce de mode impliquant une manière de s'habiller et un certain cynisme, au sens actuel du terme, puisque les hippies méprisent la droite comme la gauche, par exemple ?

— Ça, je l'ignore. Il semblerait qu'on le doive aux grands festivals de rock comme Woodstock, ou à certains musiciens comme Jerry Garcia, les Grateful Dead, Frank Zappa, les Mothers of Invention, qui ont commencé à donner des spectacles gratuits à San Francisco. Mais rien n'est sûr, et c'est la raison pour laquelle je suis venue vous interroger. »

Elle consulta sa montre et se leva.

« Pardon, mais il est temps que je parte, j'ai encore deux interviews à réaliser aujourd'hui. »

Elle rassembla ses papiers et lissa ses vêtements.

« Je vous raccompagne jusqu'à la porte », proposa Jacques.

Son animosité envers la journaliste avait disparu, il la voyait à présent comme une professionnelle qui faisait son travail de son mieux et non comme une ennemie arrivée avec une vision négative d'eux.

« Inutile, merci. Et ne vous sentez surtout pas gêné de ce qu'a dit votre fille.

— Ne discutez pas, de toute façon je dois sortir. »

Ils franchirent le seuil ensemble. Jacques lui demanda où se trouvait le marché aux épices, non qu'il ait envie d'en acheter, mais parce qu'il voulait savourer des arômes de plantes et d'herbes qu'il ne sentirait peut-être jamais plus de sa vie.

La journaliste lui indiqua le chemin avant de s'éloigner à pas pressés dans la direction opposée.

Tout en déambulant dans le Bazar aux épices, Jacques, dont le métier avait longtemps consisté à vendre aux gens des produits dont ils n'avaient pas besoin, et donc à créer tous les six mois une nouvelle campagne de publicité pour informer les consommateurs de « la dernière innovation » lancée par la boîte, regretta que l'office du tourisme d'Istanbul ne soit pas plus performant : il était fasciné par les ruelles, les échoppes devant lesquelles il passait, les cafés qui paraissaient arrêtés dans le temps, les décorations, les tenues vestimentaires, les moustaches... D'ailleurs, pourquoi la majorité des Turcs portaient-ils la moustache ?

Il en découvrit la raison par hasard, en entrant au Café de la Paix, un bar qui avait dû connaître des jours meilleurs et dont l'intérieur Art nouveau rappelait certains lieux cachés et sophistiqués de Paris. Il décida de prendre son second café turc de la journée, poudre et eau mélangées, servi dans une sorte de cafetière en cuivre munie d'un manche sur le côté, un ustensile qu'il n'avait jamais vu ailleurs. Il espéra que d'ici le soir les effets stimulants du breuvage auraient été éliminés de son organisme et ne l'empêcheraient pas de dormir. Comme il y avait peu de mouvement – un seul client à part lui –, le patron, ayant compris qu'il était étranger, engagea la conversation.

Il l'interrogea sur la France, l'Angleterre et l'Espagne, lui conta l'histoire de son commerce, voulut savoir ce qu'il pensait d'Istanbul (« Je viens d'arriver, mais cette ville me paraît mériter d'être plus connue »), des grandes mosquées et du Grand Bazar (« Je ne les ai pas encore visités, je suis là depuis hier »), puis commença à vanter les mérites de l'excellent café qu'il préparait jusqu'à ce que Jacques l'interrompe.

« Une chose m'intrigue : si je ne me trompe pas, au moins dans ce quartier, tous les hommes, y compris vous, portent la moustache. C'est une tradition ? Vous n'êtes pas obligé de répondre si ma question vous ennuie. »

Mais l'homme, au contraire, parut enchanté.

« Je suis heureux que vous l'ayez remarqué. Je crois d'ailleurs que c'est la première fois qu'un étranger me pose cette question. Pourtant, mon café est si réputé que les grands hôtels m'envoient souvent les touristes qui visitent la ville. »

D'autorité, il s'assit à sa table et pria son employé, un garçon à peine pubère au visage imberbe, de lui apporter un thé à la menthe.

Jacques se fit la réflexion que le café et le thé à la menthe semblaient être les deux seules boissons qu'on consommait dans ce pays...

« C'est en rapport avec la religion ? demanda-t-il.

— Pardon ?

236

— La moustache.

— Pas du tout ! C'est pour montrer que nous sommes des hommes. Question d'honneur et de dignité. J'ai appris ça avec mon père, qui portait une moustache très soignée et me répétait qu'un jour, j'aurais la même. Il m'a expliqué qu'à la génération de mes bisaïeuls, quand ces maudits Anglais et – désolé – Français ont commencé à nous pousser vers la mer, les gens ont dû définir quel parti ils allaient choisir. Et comme il y avait un nid d'espions dans chaque bataillon, ils ont décidé de faire de la moustache un signal : sa forme indiquerait si l'homme qui la portait était contre ou en faveur des réformes que les Anglais et les Français, désolé encore, voulaient nous imposer. Ce n'était pas vraiment un code secret, bien entendu, plutôt une déclaration de principes.

» Par conséquent, nous la portons depuis la fin du glorieux Empire ottoman, à l'époque où nous devions décider de notre avenir. Les partisans des réformes portaient une moustache en M, et les adversaires la laissaient pousser bas sur les côtés pour former une sorte de U à l'envers.

— Et ceux qui n'avaient pas d'opinion ?

— Ceux-là se rasaient totalement. Mais c'était une honte pour leur famille, parce qu'ils ressemblaient à une femme.

— C'est toujours valable aujourd'hui ?

— Le père de tous les Turcs, Kemal Atatürk, qui a enfin réussi à chasser les voleurs que les puissances européennes avaient installés sur le trône, se rasait la moustache de temps en temps pour embrouiller tout le monde et montrer que ça n'avait pas d'importance. Mais une fois installées, les traditions sont tenaces. En plus de ça, pour en revenir à ce que nous disions au début, quel mal y a-t-il à vouloir manifester sa virilité par ce symbole ? Les animaux ont bien des poils ou des plumes… »

L'Atatürk, pensa Jacques…

Ce courageux général qui avait combattu pendant la Première Guerre mondiale, arrêté une invasion, aboli le sultanat, signé la fin de l'Empire ottoman et décrété la séparation de la religion et de l'État (chose que beaucoup croyaient impossible)… Et, plus important encore pour « ces maudits Anglais et Français », il avait refusé de signer une paix humiliante avec les Alliés. À l'instar de l'Allemagne, qui avait sans le vouloir semé ainsi les germes du nazisme… Du temps où l'entreprise pour laquelle il travaillait pensait à reconquérir cet empire en usant de séduction et de ruse, Jacques avait vu plusieurs photos de l'icône de la Turquie moderne, mais il n'avait pas remarqué qu'il apparaissait alternativement avec ou sans moustache. Il se souvenait seulement que cette moustache n'était ni en U ni en M, mais plutôt à la mode européenne, les poils coupés droit au-dessus de la lèvre supérieure.

Bon sang, il en avait appris aujourd'hui sur les moustaches et leur signification secrète ! Il demanda combien il devait pour le café, mais le patron refusa de lui répondre : il paierait la prochaine fois.

« De nombreux cheiks arabes viennent ici pour des implants de moustache, conclut-il. Nous sommes les meilleurs du monde en ce domaine. »

*

Ils poursuivirent un moment la conversation, mais le patron s'excusa bientôt : ses clients arrivaient pour le déjeuner. Jacques quitta l'établissement en remerciant mentalement sa fille qui l'avait littéralement traîné jusqu'à la porte de sortie de son emploi, non sans une indemnité de départ très importante. Il s'imagina rentrant de « vacances » et racontant à ses collègues de travail l'histoire de la moustache des Turcs. Ils la trouveraient curieuse, exotique, mais sans plus…

Il poursuivit son chemin vers le bazar aux épices en se demandant pourquoi il n'avait pas insisté davantage auprès de ses parents pour qu'ils abandonnent leurs champs de temps en temps pour partir en voyage. Au début, le prétexte, c'était qu'ils avaient besoin d'argent pour que leur fils unique reçoive une bonne éducation. Mais après l'obtention de son diplôme de marketing, une matière à laquelle ils ne comprenaient rien, ils avaient allégué que peut-être aux prochaines vacances, ou aux suivantes, ou peut-être même à celles d'après… Alors que, comme tout paysan, ils savaient bien que le cycle de la nature est immuable : le travail des champs consiste en des périodes d'excès de sueur – les semailles, la taille, les récoltes –, qui alternent avec d'autres de profond ennui où l'on attend de pouvoir recommencer.

En réalité, ils n'osaient pas s'aventurer hors de la seule région qu'ils connaissaient bien, comme si le reste du monde était un lieu menaçant où ils se perdraient dans des rues inconnues, des villes qui leur étaient étrangères, peuplées de vaniteux qui auraient remarqué tout de suite leur accent paysan. Pour eux, c'était pareil partout, à chacun était destiné un lieu et il fallait respecter cette assignation.

Cet immobilisme avait désespéré Jacques durant son enfance et son adolescence, mais il n'y pouvait rien, à part mener sa vie comme il l'avait décidé : trouver un bon emploi (il l'avait eu), rencontrer une femme et l'épouser (il avait alors vingt-quatre ans), gravir les échelons, connaître le monde (il l'avait connu et s'était lassé de vivre dans les aéroports, les hôtels et les restaurants, pendant que sa femme l'attendait à la maison en s'efforçant de donner un sens à sa vie tout en élevant leur fille), terminer sa carrière en tant que directeur, prendre sa retraite, retourner à la campagne et finir ses jours à l'endroit où il était né.

Avec le recul, il se dit qu'il aurait pu supprimer les stades intermédiaires... Mais son âme et son immense curiosité l'avaient poussé en avant, vers des heures interminables d'un travail qui lui plaisait au commencement, mais qu'il s'était mis à détester dès qu'il avait été promu.

Il pouvait patienter un peu et partir au moment opportun. Il montait rapidement dans la hiérarchie du groupe, gagnait trois fois plus d'argent qu'à ses débuts. Sa fille, dont il avait suivi la croissance par étapes entre deux voyages, était entrée à Sciences Po. Quand elle s'était trouvé un petit ami chez qui elle s'était installée, sa femme avait fini par divorcer, lassée de vivre une vie solitaire et inutile à la maison.

La plupart de ses trouvailles en marketing (un mot et une profession alors à la mode) étaient acceptées, même s'il arrivait que certaines soient contestées par des stagiaires désireux d'attirer l'attention, mais il ne se démontait pas et coupait aussitôt les ailes à ces arrivistes. Sa prime de fin d'année, calculée sur les bénéfices de l'entreprise, augmentait sans cesse. Une fois son célibat retrouvé, il se mit à sortir davantage et rencontra des femmes intéressantes – et intéressées. Lorsque ses conquêtes, pour qui sa marque de cosmétiques était une référence, insinuaient qu'elles aimeraient figurer sur les affiches de certains produits, il ne répondait ni oui ni non, le temps passait, les femmes intéressées le quittaient ; les compagnes sincères auraient aimé qu'il les épouse, mais il avait bien planifié son avenir : encore dix ans de travail, et il partirait dans la pleine force de sa maturité, riche d'argent et de possibilités. Il se remettrait à voyager, cette fois vers l'Asie qu'il connaissait très mal, en tâchant d'observer avec attention ce que sa fille, qui serait devenue sa meilleure amie, voudrait lui montrer. Il s'imaginait avec elle au bord du Gange ou dans l'Himalaya, dans les Andes, à Ushuaia près du Pôle Sud… Quand il serait à la retraite et quand elle aurait obtenu son diplôme, bien entendu.

C'était compter sans les événements qui allaient chambouler son existence…

Le premier se produisit le 3 mai 1968 : sa journée de travail terminée, il attendait sa fille au bureau pour prendre le métro avec elle et rentrer chez eux. Il prit soudain conscience qu'elle aurait dû arriver depuis au moins une heure. Après lui avoir laissé un mot à la réception de l'immeuble, situé près de Saint-Sulpice (l'entreprise en possédait plusieurs et celui-ci n'était pas le moins luxueux), il se dirigea vers la station de métro.

Chemin faisant, il s'aperçut que Paris était en flammes : une fumée noire emplissait l'air, des sirènes hurlaient de tous côtés… La première idée qui lui vint à l'esprit, ce fut que les Russes avaient bombardé la ville !

Bientôt il fut bousculé, poussé contre le mur par un groupe de jeunes qui couraient dans la rue, la bouche et le nez couverts de linges mouillés, en criant « À bas la dictature ! » et autres slogans qu'il avait oubliés. Derrière eux, des CRS armés jusqu'aux dents tiraient des grenades lacrymogènes. Les manifestants qui trébuchaient et s'étalaient sur le sol étaient aussitôt matraqués.

Jacques commença à ressentir les effets du gaz. Ses yeux le piquaient, il ne comprenait rien à ce qui se passait, mais il fallait absolument qu'il retrouve Marie. Où pouvait-elle bien être ? Il tenta de filer vers la Sorbonne, mais les rues étaient bouchées par des batailles rangées entre les forces « de l'ordre » et ce qui lui semblait une bande d'anarchistes échappés d'un film d'épouvante. Des pneus brûlaient, des pavés volaient en direction des CRS ainsi que des cocktails Molotov, les moyens de transport avaient cessé de fonctionner, encore des gaz lacrymogènes, des cris, des hurlements de sirènes, des pavés arrachés de la chaussée, des jeunes tabassés, mais où était sa fille ?

Où est ma fille ?

Ce serait une erreur, pour ne pas dire du suicide, de s'approcher du lieu des confrontations. Mieux valait tenter de rentrer chez lui où Marie l'appellerait sûrement, et attendre la fin des émeutes, sans doute au petit matin.

Il n'avait jamais participé lui-même à une manifestation étudiante, il avait d'autres buts dans la vie, mais aucune de celles auxquelles il avait assisté n'avait duré plus de quelques heures. Il n'avait plus qu'à espérer que sa fille l'appelle, c'était tout ce qu'il demandait à Dieu en ce moment. Il vivait dans un pays privilégié où les jeunes avaient tout ce qu'ils désiraient, où les adultes savaient qu'en travaillant dur ils toucheraient une bonne retraite et pourraient continuer à boire le meilleur vin et à déguster la meilleure cuisine du monde. Et à se promener sans peur d'être agressé dans la plus belle ville du monde.

Marie téléphona vers 2 heures du matin. Il avait allumé la télévision où les deux chaînes nationales retransmettaient et analysaient en boucle les événements.

« Ne t'inquiète pas, papa, je vais bien. Je t'expliquerai plus tard, je dois passer le téléphone à quelqu'un. »

Il ouvrit la bouche pour poser une question, mais elle avait déjà raccroché.

Il passa une nuit blanche. Les manifestations duraient plus longtemps qu'il ne l'avait prévu. Les commentateurs à la télévision, qui semblaient aussi surpris que lui de ce mouvement qui avait explosé d'une heure à l'autre, sans signes avant-coureurs, s'efforçaient pourtant de se montrer calmes, d'expliquer les confrontations entre policiers et étudiants en usant du jargon des sociologues, des politiciens, des analystes, de quelques policiers, de rares étudiants, etc.

Enfin, l'adrénaline reflua et il s'affala sur le canapé, épuisé. Quand il ouvrit les yeux, le jour était levé, c'était l'heure de partir travailler... Mais à la télévision, qui était restée allumée, quelqu'un conseillait de ne pas sortir de chez soi parce que les « anarchistes » occupaient les facultés et les stations de métro, et bloquaient les rues pour empêcher les voitures de circuler. Ce qui allait à l'encontre du droit fondamental de tous, disait ce même quelqu'un.

Il appela son bureau, personne ne répondit. Il essaya de téléphoner au siège, et l'employée qu'il eut au bout du fil – habitant en banlieue, elle n'avait pu rentrer chez elle et avait passé la nuit sur place –, l'informa qu'il était inutile qu'il se déplace, que les rares personnes qui avaient pu parvenir jusque-là étaient celles qui habitaient tout près.

« Ça ne va pas durer », conclut l'employée anonyme.

Il demanda à parler à son chef, et apprit que celui-ci figurait parmi les absents.

Mais l'agitation et les bagarres ne s'étaient pas calmées comme on s'y attendait, au contraire, la situation s'était aggravée, à cause du traitement que la police réservait aux étudiants.

La Sorbonne, symbole de la culture française, venait d'être occupée et les professeurs avaient eu le choix entre se joindre aux manifestants ou être expulsés. Plusieurs comités s'étaient créés, porteurs de propositions variées qui seraient aussitôt mises en pratique ou écartées, disait la télé dont le ton s'était fait un peu moins hostile aux étudiants.

Les magasins de son quartier étaient fermés, sauf un, tenu par un Indien ; une file importante s'était formée devant la porte. Il prit place dans la queue et entendit les commentaires des uns et des autres : « Pourquoi le gouvernement ne fait rien ? » « Avec les impôts que nous payons, la police pourrait au moins agir dans des moments pareils ! » « Tout ça, c'est la faute du Parti communiste ! » « Voilà le résultat de l'éducation que nous donnons à nos enfants : ils s'arrogent le droit de se retourner contre ce qu'on leur a appris. »

La seule chose que personne ne pouvait expliquer, c'était ce qui avait provoqué ces événements. « Nous n'en savons rien. »

Le premier jour passa.

Puis le deuxième.

La première semaine s'acheva.

Et la situation ne faisait qu'empirer.

L'appartement de Jacques était situé sur une petite colline de Montmartre, à trois stations de métro de son bureau. De sa fenêtre, il entendait les sirènes et voyait la fumée des pneus brûlés. Il guettait sans cesse la rue en bas dans l'espoir de voir apparaître Marie. Elle arriva trois jours plus tard, prit une douche rapide, rassembla quelques vêtements de rechange, grignota quelque chose et ressortit en répétant : « Je t'expliquerai plus tard. »

Et ce qu'il croyait être un événement passager, une furie contrôlée, finit par se répandre dans la France entière : les employés séquestraient leurs patrons et une grève générale fut décrétée. Les ouvriers occupèrent à leur tour la plupart des usines, à l'instar des étudiants qui avaient occupé les facs une semaine plus tôt.

La France fut paralysée. Et le problème ne se limita plus aux étudiants qui semblaient avoir changé de revendications et brandissaient à présent des banderoles où l'on pouvait lire « Vive l'amour libre », « À bas le capitalisme », « Ouverture des frontières à tous », ou « Bourgeois, vous ne comprenez rien ! ».

Maintenant, le problème, c'était la grève générale.

*

La télévision était son seul moyen d'information. À sa grande surprise et à sa grande honte, il y vit le président de la République, le général de Gaulle, qui avait résisté aux nazis puis mis fin à la guerre d'Algérie, que tout le monde admirait, s'adresser enfin à ses concitoyens après vingt jours d'enfer pour annoncer qu'il allait organiser un référendum, proposer des réformes culturelles, sociales et économiques. Et que si le non l'emportait, il se retirerait.

Cependant, les ouvriers, qui s'intéressaient peu à l'amour libre ou aux pays sans frontières, ne comprirent rien à ces propositions. Ils ne réclamaient qu'une chose, une augmentation de salaire significative. Georges Pompidou, le Premier ministre, rencontra les dirigeants syndicaux, les trotskistes, les anarchistes, les socialistes, et enfin la contestation commença à reculer : mis en présence, les manifestants n'étaient pas d'accord sur les revendications. Or, diviser pour mieux régner, c'est la devise de tout gouvernement.

Jacques décida de participer à une marche de soutien à de Gaulle. La France entière était atterrée par les événements. La manifestation, qui eut lieu pratiquement dans toutes les villes, rassembla des foules énormes, et ceux qui avaient mis le feu aux poudres, que Jacques appelait toujours « les anarchistes », reculèrent. De nouveaux contrats de travail furent signés. Les étudiants, qui n'avaient plus rien à revendiquer, retournèrent peu à peu en cours, persuadés qu'ils avaient gagné, alors que cette victoire ne signifiait rien.

Fin mai ou début juin, il ne se souvenait plus trop, sa fille rentra enfin en disant qu'ils avaient obtenu tout ce qu'ils souhaitaient. Il ne lui demanda pas ce qu'ils souhaitaient et elle ne le précisa pas. Elle avait l'air épuisée, déçue, frustrée. Comme les restaurants rouvraient peu à peu, ils sortirent dîner aux chandelles et évitèrent le sujet. Jacques n'avouerait jamais qu'il avait participé à une manifestation en faveur du gouvernement, et la seule phrase de sa fille qu'il prit au sérieux fut : « J'en ai assez d'ici. Je vais partir en voyage et m'installer très loin. »

Finalement, elle décida de différer ce projet, arguant qu'elle devait d'abord « terminer ses études », et il comprit que les partisans d'une France prospère et compétitive avaient gagné la partie : les vrais révolutionnaires ne s'inquiètent pas le moins du monde d'obtenir un diplôme.

Depuis, il avait lu des milliers de pages d'analyse et d'explication des événements, écrites par des philosophes, des hommes politiques, des éditeurs, des journalistes, et ainsi de suite. Comme déclencheur probable du mouvement, on mentionnait la fermeture de l'université de Nanterre décrétée au début du mois, mais ça ne justifiait pas la furie dont il avait été le témoin les rares fois où il était sorti de chez lui.

Et il ne lut jamais une ligne qui eût pu l'amener à affirmer que c'était bien ce décret qui l'avait provoquée.

*

Le second moment de sa transformation, définitif celui-ci, intervint lors d'un dîner dans l'un des plus luxueux restaurants de Paris où il emmenait ses clients spéciaux, des acheteurs potentiels pour leurs villes ou leurs pays respectifs. La rage de Mai 68 était passée, bien que le feu se soit propagé à d'autres endroits du monde, et personne ne voulait plus y penser. Si un client étranger avait l'audace de l'interroger, Jacques changeait de sujet avec diplomatie en expliquant que les journaux exagéraient toujours les choses.

Et la conversation s'arrêtait là.

Comme il était intime avec le patron du lieu, celui-ci l'appelait par son prénom, ce qui impressionnait ses invités ; c'était d'ailleurs le but recherché. Dès qu'il entrait, un garçon accourait pour le guider vers « sa » table (qui changeait chaque fois en fonction de l'affluence, mais ses hôtes l'ignoraient), et aussitôt on leur servait un verre de champagne à chacun, on leur remettait le menu, on prenait leur commande, sans oublier le vin coûteux – « Le même que d'habitude, monsieur, n'est-ce pas ? » demandait le serveur, et il approuvait de la tête. Les conversations ne variaient pas beaucoup, les nouveaux venus voulaient savoir s'il leur conseillait plutôt le Lido, le Crazy Horse ou le Moulin-Rouge… (« Incroyable comme Paris est réduit à *ça* à l'étranger », songeait-il). On ne parlait pas boutique pendant un repas d'affaires, sauf à la fin, après un excellent cigare cubain offert à chacun, où les derniers détails étaient « réglés » par des gens qui se jugeaient très importants – alors qu'en réalité le Service des Ventes avait tout prévu et qu'il ne manquait plus que leurs signatures, ce que Jacques finissait toujours par obtenir.

Cette fois-là, alors qu'il prenait les commandes, le garçon se tourna vers lui.

« La même chose que d'habitude ? »

À savoir, des huîtres en entrée. Il précisait toujours qu'elles devaient être servies vivantes, ce qui horrifiait en général ses clients, pour la plupart étrangers. En principe, il commandait ensuite des escargots, puis un plat de cuisses de grenouilles.

De cette façon, personne n'osait le suivre, et c'était le but : cela faisait partie du marketing.

Les entrées furent servies en même temps, mais tous les regards se braquèrent sur lui. Il pressa un peu de citron sur la première huître, qui bougea, surprenant et épouvantant ses spectateurs. Puis il la porta à sa bouche, la laissa glisser dans son estomac et dégusta l'eau salée qu'il restait dans la coquille.

Deux secondes plus tard, il ne parvenait plus à respirer. Il s'efforça de garder contenance, sans succès. Il s'affala sur le sol et comprit qu'il allait mourir là, les yeux fixés au plafond sur les lustres en cristal authentique qui venaient sans doute tout droit de Bohême.

Les couleurs se mirent à changer, il ne voyait plus que du noir et du rouge. Il essaya de s'asseoir : il avait déjà mangé des dizaines, des centaines, voire des milliers d'huîtres dans sa vie ! Mais son corps ne lui obéissait plus. Il tenta d'inspirer, en vain. L'air refusait de pénétrer dans ses poumons.

Il eut un bref moment d'angoisse, et il mourut.

Soudain, il s'aperçut qu'il flottait au niveau du plafond. Des gens s'étaient rassemblés autour de son corps, d'autres tentaient de les écarter pour lui donner de l'air, et un serveur marocain se précipitait à la cuisine. La vision n'était pas tout à fait nette, c'était comme s'il y avait entre lui et la scène qui se déroulait en dessous de lui une pellicule transparente, ou une sorte de voile d'eau courante. Il n'éprouvait pas la moindre peur, une immense paix inondait tout autour de lui, et le temps – qui existait encore – n'était plus le même : en bas, les gens semblaient se mouvoir au ralenti, ou plutôt comme sur des photogrammes, un cliché après l'autre. Le garçon revint de la cuisine et les images disparurent : il ne resta que le vide total, blanc et presque palpable. Au contraire de ce que racontent presque tous ceux qui ont fait cette expérience, il ne vit aucun tunnel noir ; il se sentait entouré d'une énergie d'amour, un amour qu'il n'avait plus éprouvé depuis longtemps, comme s'il était retourné dans le ventre de sa mère. Et il ne voulait plus en sortir.

Soudain, il se sentit agrippé par une main qui le tirait vers le bas. Il résista, absorbé dans ce qu'il avait rêvé d'avoir toute sa vie, la tranquillité, l'amour, la musique, l'amour, la tranquillité. Mais la force du bras qui l'entraînait vers le sol était telle qu'il fut incapable de lutter.

La première chose qu'il vit en ouvrant les yeux, ce fut le visage du patron du restaurant, hésitant entre l'inquiétude et le soulagement. Son cœur battait à tout rompre, il avait la nausée, envie de vomir, mais il se maîtrisa. Voyant sans doute qu'il avait des sueurs froides, un garçon apporta une nappe et l'en couvrit.

« Où as-tu trouvé ce fond de teint gris et ce beau rouge à lèvres bleu ? » demanda son ami.

Ses convives, accroupis par terre autour de lui, semblaient eux aussi terrorisés et rassurés en même temps. Il voulut se lever, mais le patron l'arrêta.

« Repose-toi. Ce n'est pas la première fois que ça arrive et ce ne sera pas la dernière, j'imagine. C'est à cause d'incidents de ce genre que les restaurants sont obligés de disposer d'un kit de premiers secours, d'un défibrillateur, et, providentiel dans ton cas, d'un Epipen d'adrénaline que nous venons de t'injecter. Tu as le téléphone d'un proche ? Tu es hors de danger, mais nous avons appelé les secours. Ils te demanderont le numéro de la personne à prévenir, mais si tu n'en as pas je suppose que l'un de tes invités peut t'accompagner.

— L'huître était avariée ? s'enquit-il.

— Bien sûr que non, nos produits sont de première qualité ! Mais comment savoir ce que cette bestiole avait mangé ? Visiblement, celle-ci, au lieu de fabriquer une perle, avait décidé de t'empoisonner.

— Qu'est-ce que c'était, alors ? »

À ce moment-là, les pompiers arrivèrent et voulurent l'allonger sur un brancard ; il protesta, affirma qu'il se sentait bien. Il devait y croire. Il se redressa non sans peine, mais les secouristes le rallongèrent derechef et il renonça à discuter. Quand ils lui demandèrent s'il avait quelqu'un à prévenir, il donna sans hésiter le numéro de sa fille, ce qui le rassura, car c'était la preuve qu'il avait recouvré toute sa lucidité.

À l'hôpital, les médecins prirent sa tension, lui demandèrent de suivre un rayon lumineux des yeux, de poser un doigt de sa main droite sur le bout de son nez, et il obéit à tout, mourant d'envie de sortir de là. Il n'avait pas besoin d'hôpital, même s'il payait une fortune en impôts et cotisations pour bénéficier d'un service de santé excellent et gratuit.

« Nous vous gardons en observation cette nuit. »

Il suivit les médecins du regard jusqu'au seuil, autour duquel s'était formé un groupe de patients, espérant toujours voir quelqu'un de plus malade qu'eux. La curiosité morbide des humains n'a pas de limites…

Sur le trajet de l'hôpital, dans le fourgon qui n'avait pas actionné sa sirène – ce qui l'avait réconforté –, il avait demandé aux secouristes si c'était à cause de l'huître et ils avaient confirmé la réponse du patron du restaurant : une intoxication par une huître avariée aurait mis beaucoup plus de temps à se manifester. Des heures.

« Et alors ?

— C'est une allergie. »

Il réclama de plus amples explications. Selon le patron, c'était dû à une substance que l'huître avait absorbée, et ils en furent d'accord : il s'agissait d'un

« choc anaphylactique ». On ignorait comment et dans quelles circonstances il se produisait, mais on savait le soigner. Sans vouloir l'effrayer, l'un des secouristes expliqua que les allergies peuvent surgir sans crier gare.

« Par exemple, on a beau avoir mangé des grenades depuis sa plus tendre enfance, un jour l'une d'elles peut vous tuer en un clin d'œil, parce que l'organisme a soudain une réponse qu'on ne parvient pas à expliquer. Autre exemple, on passe des années à s'occuper de son jardin, les herbes sont les mêmes, la nature du pollen n'a pas changé, et un beau jour on se met à tousser, on a mal à la gorge, puis au cou, on pense qu'on a pris froid et qu'on doit rentrer, mais impossible de marcher. Ce n'était pas un mal de gorge, mais un rétrécissement de la trachée. Trop tard. Et ça arrive avec des choses que nous avons touchées, mangées ou respirées toute notre vie.

— Les insectes aussi peuvent être dangereux, mais nous n'allons pas passer notre existence à craindre les abeilles, non ?

— Mais ne vous inquiétez pas. Les allergies s'attaquent à tous les âges et ne sont pas graves. Ce qui l'est, c'est le choc anaphylactique que vous avez subi. Le reste, ce sont des nez qui coulent, des plaques rouges, des démangeaisons et autres manifestations cutanées. »

*

À leur arrivée à l'hôpital, sa fille l'attendait à la réception. Elle savait qu'il avait eu un choc allergique, qui peut être fatal si l'on n'est pas secouru à temps, mais que c'était plutôt rare. Marie avait déjà fourni le numéro de Sécurité sociale de son père, et il eut droit à une chambre privée.

Dans sa hâte, sa fille avait oublié de lui apporter un pyjama ; il enfila donc la tunique fournie par l'hôpital. Un médecin entra, prit son pouls, qui était revenu à la normale. Sa tension était encore un peu élevée, mais l'homme de l'art attribua cela au stress qu'il venait de subir. Il pria Marie de ne pas trop s'attarder pour ne pas fatiguer son père, et assura à Jacques qu'il pourrait rentrer chez lui le lendemain.

Marie tira une chaise près du lit et lui prit les mains. Soudain, il se mit à pleurer. Au début, ce n'étaient que des larmes qui coulaient sur son visage en silence, mais bientôt ce furent de gros sanglots qui augmentaient peu à peu... Conscient d'avoir besoin de s'épancher, il laissa libre cours à son chagrin. Marie se bornait à lui caresser les mains, un peu effrayée de voir pour la première fois son père en larmes.

Il ne savait pas combien de temps il avait pleuré. Il se calma peu à peu, comme si un poids lui avait été ôté des épaules, de la poitrine, de la tête, de la vie. Sa fille, pensant qu'elle ferait mieux de le laisser dormir, fit mine de retirer sa main, mais il la retint.

« Ne t'en va pas, il faut que je te raconte quelque chose. »

Elle posa la tête sur ses genoux comme elle le faisait petite pour écouter les histoires. Il lui caressa les cheveux.

« Papa, tu sais que tu es rétabli et que tu peux aller travailler demain, n'est-ce pas ? »

Oui, il le savait. Et le lendemain il irait au travail, non pas dans l'immeuble où il avait son bureau, mais au siège. Le directeur actuel, avec qui il avait gravi les échelons dans l'entreprise, lui avait envoyé un message demandant à le voir.

« Marie, il faut que je te raconte : j'ai cessé de vivre quelques secondes, ou quelques minutes, ou une éternité, je n'ai pas la notion du temps, tout était très lent. Et tout à coup je me suis retrouvé entouré par une énergie d'amour que je n'avais jamais expérimentée. J'avais la sensation d'être… en présence… »

Sa voix se mit à trembler, comme quand on se retient de pleurer, mais il poursuivit.

« … d'être en présence de la Divinité. Or tu sais très bien que je n'y ai jamais cru. Je t'ai inscrite dans une école privée parce qu'elle était proche de chez nous et que l'enseignement y était excellent, mais je m'ennuyais beaucoup aux cérémonies religieuses auxquelles j'étais obligé d'assister, même si ta mère en était très fière et que tes camarades et leurs parents me considéraient comme l'un des leurs. En réalité, ce n'était qu'un sacrifice que je faisais pour vous deux. »

Il caressa encore les cheveux de Marie. Il n'avait jamais songé à lui demander si elle croyait en Dieu, et ce n'était pas le moment. Il était manifeste qu'elle ne respectait plus les préceptes stricts du catholicisme qu'on lui avait enseignés. Elle portait des tenues exotiques, elle fréquentait des amis aux cheveux longs, elle écoutait d'autres chansons que celles de Dalida ou d'Édith Piaf.

« Vois-tu, j'ai toujours été doué pour planifier, et pour exécuter mes plans. Selon mon calendrier, je n'avais plus beaucoup de temps à attendre avant de partir à la retraite avec de quoi mener une vie confortable et satisfaire toutes mes envies. Mais tout ça a changé durant ces quelques minutes, secondes ou années où Dieu m'a tenu la main. J'ai compris dès que je me suis retrouvé par terre au restaurant, devant le visage inquiet du patron qui feignait le calme, que je ne revivrais plus jamais cette expérience.

— Mais tu aimes ton travail !

— Je l'aimais tellement que j'étais le meilleur dans ma branche. Mais maintenant je veux le quitter, et dès demain, en emportant de bons souvenirs. Et je souhaiterais que tu m'accordes une faveur.

— Pas de problème. Tu m'as toujours appris les choses davantage par l'exemple que par des mots.

— C'est justement ce que je veux te demander. Je t'ai éduquée pendant des années, et maintenant j'aimerais que tu m'éduques. Je voudrais voyager avec toi dans le monde, le voir d'un œil neuf, accorder plus d'attention à la nuit et au matin. Démissionne de ton emploi et accompagne-moi. Prie ton petit ami d'être tolérant et d'attendre patiemment ton retour, et viens avec moi.

» J'ai besoin de me plonger corps et âme dans des fleuves inconnus, de goûter des boissons nouvelles, de regarder de près les montagnes que je ne vois qu'à la télévision, de permettre à l'amour que j'ai vécu hier soir de se manifester, ne serait-ce qu'une minute par an. Je veux que tu me guides dans ton monde. Je ne serai pas un fardeau, et quand tu estimeras que je deviens importun, il suffira que tu me le dises et je m'éloignerai. Et quand tu jugeras que je peux me rapprocher, je reviendrai et nous ferons un pas de plus ensemble. Je te le répète, je veux que tu me guides. »

Marie ne bougeait pas. Non seulement son père venait de regagner le monde des vivants, mais il avait découvert une porte ou une fenêtre ouverte sur son monde à elle, qu'elle n'avait jamais osé partager avec lui.

Ils avaient tous deux soif d'Infini. Et il était facile d'étancher cette soif, il suffisait que l'Infini se manifeste. Pour cela, nul besoin de lieu particulier autre que leur cœur et la foi qui existe, une force sans forme qui pénètre tout et porte en soi ce que les alchimistes appellent : « Anima Mundi. »

*

Jacques arriva devant le marché où entraient plus de femmes que d'hommes, plus d'enfants que d'adultes, moins de moustachus et plus de têtes coiffées d'un foulard. D'où il se trouvait, il humait un parfum intense, un mélange d'arômes qui s'unifiaient pour monter jusqu'aux cieux et redescendre sur la terre, apportant, avec l'averse soudaine, l'arc-en-ciel et la bénédiction.

Paulo trouva la voix de Karla radoucie quand ils se retrouvèrent dans la chambre pour se changer avant le dîner.

« Où as-tu passé la journée ? »

C'était la première fois qu'elle lui posait cette question… À son sens, c'était le genre de questions que sa mère aurait pu poser à son père, une question qu'un adulte adresse à sa compagne ou son compagnon. Il n'eut pas envie de répondre, elle n'insista pas et se mit à rire.

« Je suppose que tu es allé au Grand Bazar pour me chercher !

— J'en ai pris la direction, mais j'ai changé d'idée et rebroussé chemin.

— Paulo, j'ai une proposition à te faire que tu ne peux pas refuser : allons dîner en Asie. »

Inutile d'être devin pour comprendre : elle voulait traverser le pont qui reliait les deux continents. Mais puisque le Magic Bus le ferait bientôt, pourquoi précipiter les choses ?

« Pour pouvoir raconter plus tard une anecdote que personne ne croira : que j'ai pris un café en Europe et que vingt minutes après, j'entrais dans un restaurant d'Asie, prête à goûter à tout ce que ce continent offre de délices. »

C'était une bonne idée, en fin de compte. Lui aussi pourrait le raconter à ses amis. Ils penseraient qu'il était devenu fou, que la drogue avait affecté son cerveau, mais quelle importance ? En fait, il existait bel et bien une drogue qui commençait à faire effet lentement, depuis sa rencontre avec le vieillard, cet après-midi, dans ce centre de soufisme vide aux murs peints en vert.

Karla avait dû acheter des produits de maquillage, parce qu'elle sortit de la salle de bains les yeux entourés de noir, les cils allongés au rimmel, comme il ne l'avait encore jamais vue. Ce qui était nouveau aussi, c'était qu'elle souriait tout le temps. Il songea à se raser ; pas le bouc, qui était un moyen de dissimuler son menton saillant, mais le reste du visage, ce qu'il faisait dès que possible pour échapper à ses horribles souvenirs de prison. Le problème, c'était qu'il n'avait pas pensé à acheter des rasoirs jetables, il avait jeté le dernier du paquet avant d'entrer en Yougoslavie. Il passa un sweater acheté en Bolivie, son blouson de jean aux étoiles appliquées, et ils descendirent ensemble.

Ils ne reconnurent personne du groupe dans le salon, où seul le chauffeur lisait le journal. Paulo lui demanda comment ils pouvaient traverser le pont jusqu'en Asie, et Michael sourit.

« Je vous comprends, je l'ai fait à mon premier voyage. »

Il leur indiqua comment prendre l'autobus (selon lui, il était impossible de traverser à pied) et se reprocha d'avoir oublié le nom du restaurant délicieux où il avait déjeuné sur l'autre rive du Bosphore.

Karla désigna le journal de la tête.

« Quelles nouvelles ? »

Paulo remarqua que Michael était aussi étonné que lui de la voir maquillée et souriante. Quelque chose avait changé…

« Rien à signaler depuis une semaine. Concernant les Palestiniens, qui d'après l'article sont en majorité dans le pays et préparent un coup d'État, on retiendra le nom de "Septembre Noir", c'est ainsi qu'ils se sont baptisés. Mais à part ça, on devrait pouvoir voyager sans encombre, bien qu'on m'ait conseillé au téléphone d'attendre les instructions ici.

— Génial ! On n'est pas pressés, et Istanbul est un monde à découvrir.

— L'Anatolie aussi est une région qui vaut la peine d'être visitée.

— Oui, mais chaque chose en son temps. »

Tandis qu'ils se dirigeaient vers l'arrêt d'autobus, Paulo s'aperçut que Karla lui tenait la main comme s'ils étaient en couple. Ils s'en tinrent à des banalités, trouvant fantastique que la lune soit pleine, qu'il n'y ait pas de vent et qu'il ne pleuve pas : c'était le temps idéal pour leur escapade.

« C'est moi qui paie, aujourd'hui, annonça Karla. J'ai une envie folle de boire. »

Le bus s'engagea sur le pont et ils traversèrent le Bosphore dans un silence respectueux, comme s'ils vivaient une expérience religieuse. Ils sautèrent dehors au premier arrêt et longèrent la rive asiatique où cinq ou six restaurants aux tables recouvertes de nappes en plastique accueillaient les clients. Ils s'installèrent dans le premier, face au fleuve, et contemplèrent la vue magnifique qui s'offrait à eux : les monuments n'étaient pas éclairés, au contraire de ceux d'Europe, mais la lune se chargeait de jeter la plus belle des lumières sur Istanbul.

Le garçon s'approcha, s'enquit de ce qu'ils désiraient, et tous deux le prièrent de choisir pour eux ce qu'il y avait de meilleur dans la cuisine typique. Visiblement, le serveur n'avait pas l'habitude de ce genre de requête.

« C'est impossible, je dois savoir ce que vous voulez, en principe tout le monde a son idée...

— Le meilleur, ce n'est pas suffisant comme réponse ? »

Certainement : le serveur n'insista pas et accepta que ce couple d'étrangers lui fasse confiance. C'était pour lui une énorme responsabilité, mais en même temps une immense joie.

« Et que voulez-vous boire ?

— Le meilleur vin de la région. Rien qui vienne d'Europe, nous sommes en Asie ! »

C'était vrai, et pour la première fois de leur vie !

« Désolé, mais nous ne servons pas d'alcool. Les règles strictes de la religion...

— Pourtant la Turquie est un pays laïque, non ? »

Bien sûr, mais le patron était croyant. S'ils le souhaitaient, ils pouvaient choisir un autre restaurant ; à quelques pas de là, ils trouveraient ce qu'ils cherchaient.

Ils boiraient du vin, mais ils perdraient la vue époustouflante sur la ville illuminée par le clair de lune… Karla se demanda si elle réussirait à se confier sans être un peu ivre. Paulo, quant à lui, n'eut pas l'ombre d'une hésitation : il se passerait volontiers de vin.

Le serveur apporta une bougie rouge dans une lanterne en métal et l'alluma au centre de la table. Ils observèrent ses gestes en silence, absorbant la beauté, s'enivrant d'elle.

« Finissons de nous raconter notre journée. Si j'ai bien compris, tu as voulu aller au Grand Bazar, mais changé d'idée en chemin ? Tu as bien fait, je n'y étais pas. Nous irons ensemble demain. »

Karla avait complètement changé d'attitude, elle était étrangement douce, ce qui était loin d'être sa caractéristique principale. Peut-être avait-elle rencontré quelqu'un et avait-elle besoin de partager son émotion ?

« Mais dis-moi, tu es sorti en disant que tu voulais assister à une cérémonie religieuse. Tu as trouvé ?

— Pas exactement ce que je cherchais, mais oui. »

« Je savais que vous alliez revenir, dit le vieillard en voyant entrer le jeune homme aux vêtements bigarrés. Je suppose que vous avez vécu une expérience intense dans ce lieu imprégné de l'énergie des derviches tourneurs. Toutefois, je me permets de souligner que la présence de Dieu est partout, en tous les lieux de la terre et jusque dans ses éléments les plus infimes, les insectes, les grains de sable...

— Je veux apprendre le soufisme. Il me faut un maître.

— Alors, cherchez la Vérité. Efforcez-vous d'être en permanence à ses côtés, même si elle vous fait souffrir, si elle reste longtemps muette ou ne dit pas ce que vous voulez entendre. C'est ça, le soufisme. Le reste, ce sont des cérémonies sacrées qui n'ont pour effet que d'amplifier l'extase. Pour y participer, vous devrez vous convertir à l'islam, ce que franchement je ne vous conseille pas ; il n'est pas nécessaire d'adhérer à une religion simplement pour ses rituels.

— J'ai tout de même besoin de quelqu'un qui me guide sur la voie de la Vérité.

— Ce n'est pas le propos du soufisme. On a déjà écrit des milliers de livres sur la voie de la Vérité, et aucun n'explique exactement de quoi il s'agit. Au nom de la "Vérité", la race humaine a commis les pires crimes. Des hommes et des femmes ont été brûlés vifs et des civilisations entières ont vu leur culture anéantie ; en son nom, on a ostracisé ceux qui commettaient le péché de chair et marginalisé ceux qui cherchaient une voie différente.

» L'un d'entre eux a même été crucifié. Mais avant de mourir, il nous a laissé la grande définition de la Vérité : ce n'est pas ce qui nous fournit des certitudes, ni ce qui nous donne de la profondeur, ni ce qui nous rend meilleurs que les autres, et encore moins ce qui nous maintient dans la prison des préjugés. La Vérité, c'est ce qui nous rend libre. "Connaissez la Vérité et la Vérité vous libérera", a dit Jésus. »

Le vieillard fit une pause.

« Le soufisme n'est autre que l'analyse de soi-même, la reprogrammation de son propre esprit, l'aptitude à comprendre que les mots ne suffisent pas pour décrire l'Absolu, ou l'Infini. »

Leurs plats arrivèrent. Karla savait exactement de quoi parlait Paulo, et tout ce qu'elle dirait lorsque son tour serait venu se fonderait sur ces mêmes concepts.

« On mange en silence ? »

Une fois de plus, il s'étonna de son attitude. D'habitude, elle aurait plutôt dit : « On mange en silence ! » sur un ton sans réplique, avec un point d'exclamation à la fin.

Et ils mangèrent en silence. En admirant le ciel, la lune ronde, les eaux du fleuve où se reflète sa lumière, en observant les visages éclairés par la flamme de la bougie, en percevant cette sensation que le cœur explose quand deux étrangers se rencontrent et partent ensemble vers une autre dimension. Plus nous nous autoriserons à recevoir le monde, plus nous recevrons, que ce soit de l'amour ou de la haine.

Mais à ce moment-là, Paulo n'éprouvait ni amour ni haine. Il ne cherchait aucune révélation, ne respectait aucune tradition, il avait tout oublié de ce que disaient les textes sacrés, la logique, la philosophie...

Il était dans le néant, un néant qui, paradoxalement, emplissait tout.

*

Ils ne demandèrent pas ce qu'on leur avait servi, de nombreuses petites portions dans des assiettes différentes. Comme ils ne voulaient pas se risquer à boire l'eau de l'endroit, ils commandèrent des sodas. C'était moins typique, mais plus sûr.

Très intrigué par le changement radical de sa compagne, Paulo osa faire la réflexion qui lui brûlait les lèvres, quitte à gâcher la soirée.

« Tu es totalement différente, ce soir. Comme si tu venais de rencontrer un homme dont tu étais tombée amoureuse. Cela dit, rien ne t'oblige à m'expliquer.

— C'est vrai, j'ai rencontré un homme dont je suis tombée amoureuse, mais il ne le sait pas.

— C'est l'expérience que tu as faite aujourd'hui et que tu as envie de me raconter ?

— Oui, quand tu auras fini de me raconter la tienne. Ou est-elle déjà terminée ?

— Non, il reste un épisode. Mais je ne peux pas aller jusqu'au bout puisque je n'ai pas encore vécu la fin.

— Tant pis, j'aimerais quand même entendre la suite ! »

Visiblement, la remarque qu'il avait faite sur son changement ne l'avait pas contrariée... Il se concentra sur ce qu'il mangeait. Comme tous les hommes, il n'avait guère envie d'en savoir plus sur les amours de sa compagne. Il voulait qu'elle soit là tout entière, à savourer ce moment, leur dîner à la chandelle et la lumière de la lune qui brillait sur le fleuve et sur la ville.

Il goûta un peu de chaque plat : des pâtes farcies à la viande qui évoquaient les raviolis, des sortes de petits cigares en feuilles de vigne fourrés de riz, du yaourt, des pains azymes encore chauds, des haricots, des brochettes de viande, un genre de petites pizzas en forme de barque, garnies d'olives et d'épices... Ce dîner allait durer une éternité ! Pourtant, à leur grande surprise, tous les mets disparaissaient de la table comme par enchantement : ils étaient trop succulents pour qu'ils les laissent refroidir et perdre leur saveur.

Le garçon revint, ramassa les assiettes en plastique et demanda s'il pouvait servir le plat principal.

« Pas question ! Nous sommes repus !

— Mais on le prépare en cuisine, c'est trop tard pour décommander !

— Nous le paierons, mais *s'il vous plaît* n'apportez plus rien, sinon nous ne pourrons plus marcher en sortant. »

Le serveur s'esclaffa et ils se joignirent à lui. Un vent venu d'ailleurs soufflait, qui leur apportait des impressions nouvelles, emplissant leurs sens de saveurs et de couleurs inconnues.

La nourriture n'y était pour rien, ni la lune, ni le Bosphore, ni le pont : ce qui avait tout changé, c'était la journée qu'ils venaient de vivre.

« Tu peux terminer, maintenant ? demanda Karla en allumant deux cigarettes dont une qu'elle lui tendit. J'ai très envie de te raconter ma journée et ma rencontre avec moi-même. »

À l'évidence, elle avait rencontré son âme sœur. En vérité, Paulo n'était plus intéressé par son histoire, mais comme il l'avait demandée, il l'écouterait jusqu'au bout.

Paulo retourna en pensée dans la salle verte aux poutres vermoulues et aux fenêtres abîmées qui avaient dû être autrefois de véritables œuvres d'art. Le soleil était déjà bas, la salle plongée dans la pénombre... Tout en se disant que c'était l'heure de rentrer à l'hôtel, il insista auprès de l'homme sans nom.

« Vous avez pourtant bien dû avoir un maître ?

— J'en ai eu trois, dont aucun n'était lié à l'Islam ni ne connaissait les poèmes de Rûmî. Durant mon apprentissage, mon cœur demandait au Seigneur : "Suis-je sur la bonne voie ?" Il répondait : "Oui." Je voulais en savoir davantage : "Et qui êtes-vous ?" Il répondait : "Toi."

— Mais qui étaient vos maîtres ? »

Le vieillard sourit, alluma le narguilé bleu posé près de lui, tira quelques bouffées, le tendit à Paulo qui s'assit sur le plancher avant de l'imiter.

« Le premier était un voleur. Une fois où je m'étais perdu dans le désert, je suis arrivé chez moi très tard dans la nuit. J'avais bien laissé ma clé au voisin, mais je n'osais pas le réveiller à cette heure indue. Enfin, un inconnu est passé par là, je lui ai demandé de l'aide et il a ouvert ma serrure en un clin d'œil.

» J'ai été très impressionné, je l'ai supplié de m'apprendre son art. Il m'a avoué qu'il vivait de larcins, mais je lui étais tellement reconnaissant que je l'ai invité à passer la nuit chez moi.

» Il est resté un mois. Toutes les nuits, il sortait en disant : "Je vais travailler, poursuivez votre méditation, priez bien." À son retour, je lui demandais toujours s'il avait trouvé quelque chose, et il me répondait invariablement : "Pas cette nuit. Mais si Dieu le veut, je réessayerai demain."

» C'était un homme heureux. Je ne l'ai jamais vu désespéré par ses échecs. Durant la majeure partie de ma vie, quand je méditais longtemps sans qu'il ne se passe rien, sans réussir à communiquer avec Dieu, je me souvenais de ses paroles : "Si Dieu le veut, je réessayerai demain." J'y ai puisé ma force pour continuer.

— Et le second ?

— C'était un chien. Je m'approchais d'un fleuve pour boire un peu d'eau quand il est apparu. Lui aussi avait soif, mais quand il a atteint le bord il a vu dans l'eau un autre chien, qui n'était autre que son reflet.

» Il a pris peur, il s'est écarté en aboyant dans l'intention de mettre l'autre en fuite. Peine perdue. Finalement, sa soif était telle qu'il a décidé d'affronter la situation, et il s'est jeté dans le fleuve : à ce moment-là, l'image a disparu. »

Le vieillard sans nom fit une pause avant de poursuivre.

« Enfin, mon troisième maître était un enfant. Il marchait en direction de la mosquée proche du village où je vivais, une bougie allumée à la main. J'ai demandé : "C'est toi qui as allumé cette bougie ?" Il a répondu que oui. Mais comme je suis toujours inquiet quand les enfants jouent avec le feu, j'ai insisté : "Petit, il y a forcément eu un moment où cette bougie était éteinte. Tu pourrais me dire d'où est venu le feu qui l'a allumée ?" Le gamin a éclaté de rire, il a soufflé sur la flamme pour l'éteindre et m'a demandé : "Et vous, vous pouvez me dire où est parti le feu qui était ici ?"

» C'est là que j'ai compris à quel point j'avais été stupide. Qui allume la flamme de la sagesse ? Où va-t-elle ? J'ai pris conscience que, pareil à cette bougie, l'homme porte le feu sacré en son cœur à certains moments, mais sans jamais savoir d'où il est venu. À partir de là, j'ai commencé à faire attention à tout ce qui m'entourait, les nuages, les arbres, les fleuves et les forêts, les hommes et les femmes. Et tout ce que j'observais m'enseignait ce que je voulais apprendre sur le moment, et les leçons disparaissaient dès qu'elles ne m'étaient plus nécessaires. En réalité, j'ai eu des milliers de maîtres au cours de mon existence.

» J'ai fini par avoir la certitude que la flamme brûlerait toujours quand j'aurais besoin d'elle. J'ai été un disciple de la vie et je le suis toujours. J'ai réussi à nourrir mon esprit des choses les plus simples et les plus inattendues, par exemple des histoires que les parents racontent à leurs enfants.

» C'est ainsi : la quasi-totalité de la sagesse soufie ne se trouve pas dans les textes sacrés, mais dans les contes, les prières, les danses et la contemplation. »

De nouveau, les haut-parleurs des mosquées diffusèrent les voix des muezzins qui appelaient les fidèles à la dernière prière du jour. L'homme sans nom s'agenouilla, tourné vers La Mecque, et pria. Quand il eut terminé, Paulo lui demanda s'il pouvait revenir le lendemain.

« Bien sûr ! Mais vous n'apprendrez rien de plus que ce que votre cœur voudra bien vous enseigner. Parce que tout ce que j'ai à vous proposer, ce sont des histoires et un lieu dont vous pouvez profiter quand vous avez besoin de silence et qu'il n'est pas utilisé pour les danses sacrées. »

Paulo se tourna vers Karla.

« Maintenant, c'est à ton tour. »

Oui, elle le savait. Elle régla l'addition et ils s'approchèrent du bord du détroit. On entendait les voitures et les klaxons sur le pont, mais cela ne gâchait en rien la beauté de la lune, de l'eau, de la vue d'Istanbul.

« Aujourd'hui je me suis assise sur la rive d'en face et j'ai passé des heures à regarder l'eau couler. Je me suis remémoré la façon dont j'avais vécu jusque-là, les hommes que j'avais connus et mon comportement qui semblait ne jamais pouvoir changer. J'étais lasse de moi-même.

» Je me suis demandé pourquoi je fonctionnais ainsi. Étais-je la seule, ou existait-il d'autres êtres incapables d'aimer ? J'ai rencontré beaucoup d'hommes qui étaient prêts à tout sacrifier pour moi, et je ne suis jamais tombée amoureuse d'un seul. Il m'arrivait de penser que j'avais enfin rencontré mon prince charmant, mais ce sentiment ne durait pas longtemps, et très vite, je ne supportais plus sa compagnie, même s'il était tendre, attentionné, amoureux. Je n'avais pas besoin de donner des explications détaillées, il me suffisait d'avouer la vérité. Tous tentaient de me reconquérir à tout prix, mais c'était peine perdue. Quand ils protestaient en cherchant à m'attirer à eux, le simple contact de leur main sur mon bras me répugnait.

» Il y en a même un qui a menacé de se suicider, mais par chance, il n'est pas passé à l'acte. Je n'ai jamais éprouvé la jalousie. À un moment, quand j'ai dépassé la barrière des vingt ans, j'ai pensé que je n'étais pas normale. Je n'ai jamais été fidèle. Je trouvais toujours de nouveaux amants, même quand j'étais avec un homme qui se serait damné pour moi. J'ai connu un psychiatre, ou un psychanalyste, je ne sais pas trop, qui m'a emmenée à Paris. Ça a été le premier à faire une remarque sur mon comportement. Il est arrivé avec ses phrases toutes faites, a décrété que j'avais besoin de consulter un médecin, que mon organisme manquait d'une substance quelconque. Et au lieu de lui demander une aide médicale, j'ai pris le premier avion pour Amsterdam.

» Il ne m'est pas difficile de séduire, comme tu as dû le constater, mais dès que c'est fait, ça ne m'intéresse plus. C'est ce qui m'a poussée à partir pour le Népal : j'envisageais de ne jamais en revenir, d'y vieillir en tâchant de découvrir mon amour pour Dieu... Jusque-là, je l'avoue, je me suis contentée de m'imaginer que j'aimais Dieu, sans en être très convaincue.

» Le fait est que, puisque je ne trouvais aucune explication à cette anormalité et que je refusais de m'adresser à un médecin, je voulais simplement disparaître du monde et consacrer mon existence à la contemplation. C'était pour moi l'unique solution.

» Car une vie sans amour ne vaut pas la peine d'être vécue. Vivre sans amour, c'est être un arbre qui ne donne pas de fruits, c'est dormir sans rêver, et parfois même ne plus pouvoir dormir. C'est vivre jour après jour dans l'attente que le soleil pénètre dans une chambre peinte en noir et fermée à double tour, savoir qu'il existe une clé mais ne pas avoir envie d'ouvrir la porte et d'en sortir. »

Sa voix commençait à trembler, comme si elle allait pleurer. Il s'approcha d'elle et tenta de l'entourer de ses bras, mais elle se dégagea.

« Je n'ai pas terminé. J'ai toujours été douée pour manipuler les autres et ça m'a donné une telle confiance en moi, en ma supériorité, qu'inconsciemment je devais me dire : "Je ne me livrerai tout entière qu'à celui qui sera capable de me dompter." Et jusque-là, personne n'est venu. »

Elle se tourna vers lui. Ses yeux tout à l'heure embués de larmes lançaient des étincelles.

« Pourquoi es-tu ici, Paulo, dans ce lieu de rêve ? Parce que *je l'ai voulu.* J'avais besoin de compagnie et j'ai pensé que la tienne serait idéale, même après avoir décelé tes failles, après t'avoir vu danser derrière les Hare Krishna en te prenant pour un homme libre et entrer dans cette Maison du Soleil Levant pour prouver ton courage, alors que c'était ridicule. Tu as accepté de visiter un moulin – *un moulin* ! – comme si tu partais explorer la planète Mars.

— C'est toi qui as insisté ! »

En réalité, songea-t-elle, elle s'était bornée à le lui proposer, mais apparemment ses propositions étaient perçues comme des ordres... Mais c'était inutile de le lui préciser.

« Et c'est ce jour-là, quand à notre retour en ville nous avons acheté nos billets d'autocar pour le Népal – ce qui était mon objectif à *moi* – que j'ai compris que j'étais amoureuse. Sans motif particulier, puisque rien n'avait changé depuis la veille, que tu n'avais rien dit ni rien fait de plus. J'étais amoureuse. Tout en sachant que comme les autres fois, ça ne durerait pas, que tu n'étais pas l'homme qu'il me fallait.

» J'ai attendu que ce sentiment passe, et il n'est pas passé. Quand nous avons commencé à nous lier davantage avec Ryan et Mirthe, je suis devenue jalouse. Je connaissais déjà l'envie, la rage, l'insécurité, mais la jalousie ne faisait pas partie de mon univers. J'estimais que vous deviez m'accorder plus d'attention, à moi qui suis si jolie et indépendante, si intelligente et volontaire. J'en ai déduit que je n'étais pas vraiment jalouse d'une autre femme, mais plutôt du fait que je n'attirais plus tous les regards. »

Elle lui prit la main.

« Et ce matin, pendant que je regardais le fleuve en repensant à la nuit où nous avions dansé autour du feu, j'ai compris que ce que j'éprouvais pour toi n'était pas de la passion, mais de l'amour. Même après ce moment d'intimité d'hier soir où tu n'as pas été à la hauteur, je n'ai pas cessé de t'aimer. Je sais que je t'aime et que tu m'aimes. Et que nous pouvons passer le reste de notre vie ensemble, au Népal, à Rio ou sur une île déserte. Je t'aime et j'ai besoin de toi.

» Ne me demande pas pourquoi je te l'avoue, c'est la première fois que ça m'arrive. Mais sache que je suis sincère : je t'aime, je ne cherche pas d'explication à mes sentiments. »

Elle tourna le visage vers lui dans l'espoir qu'il l'embrasse. Bizarrement, il le fit, avant de suggérer qu'il valait peut-être mieux rentrer en Europe, à l'hôtel ; la journée avait été fertile en événements, en émotions fortes et en découvertes.

Karla eut peur.

Et Paulo encore plus, parce qu'il devait admettre qu'il avait vécu une belle aventure avec elle, des moments de passion où il désirait qu'elle soit toujours près de lui, mais à présent, c'était fini.

Non, il ne l'aimait pas.

Lorsqu'ils se retrouvèrent tous au petit déjeuner pour se raconter leurs expériences et échanger des suggestions, Karla était seule. Si on lui demandait où était Paulo, elle expliquait qu'il voulait profiter de chaque seconde pour mieux comprendre les fameux « derviches tourneurs » et qu'il irait tous les matins retrouver quelqu'un qui l'éclairait sur le sujet.

« Selon lui, les monuments, les mosquées, les citernes, les merveilles d'Istanbul peuvent attendre, ils seront toujours là. Mais ce qu'il est en train d'apprendre peut disparaître d'une heure à l'autre. »

Les autres comprenaient très bien. Après tout, à leur connaissance, il n'existait pas de relation plus intime entre elle et Paulo, bien qu'ils aient pris une chambre en commun.

*

La veille au soir, quand ils étaient rentrés d'Asie aussitôt après le dîner, ils avaient fait l'amour merveilleusement. Elle s'était retrouvée trempée de sueur, elle s'était donnée tout entière et sentie comblée. Pourtant, il parlait de moins en moins.

Elle avait la certitude qu'il l'aimait, mais ne se sentait pas autorisée à lui poser la question pour autant. Elle voulait oublier son propre égoïsme et le laisser aller rejoindre chaque jour ce Français qui lui enseignait le soufisme, consciente que c'était pour lui une occasion unique. Lorsque le gars qui ressemblait à Raspoutine l'invita à visiter avec lui le musée Topkapi, elle refusa. Ryan et Mirthe lui proposèrent de les accompagner au Grand Bazar, en expliquant qu'ils s'étaient tellement passionnés pour les monuments qu'ils avaient oublié le principal : comment vivaient les gens de la ville ? Que mangeaient-ils ? Qu'achetaient-ils ? Elle accepta et ils prirent rendez-vous pour le jour suivant.

Michael intervint pour leur annoncer que c'était aujourd'hui ou jamais : puisque le conflit de Jordanie était maîtrisé, ils repartaient demain. Il pria Karla d'en avertir Paulo, comme si elle était sa petite amie, sa maîtresse, sa femme.

« Bien sûr. »

Autrefois, elle aurait répliqué vertement, comme Caïn avait rétorqué à Dieu au sujet d'Abel : « Est-ce que je suis, moi, le gardien de mon frère ? »...

Les autres protestèrent : en principe, ils devaient passer une semaine entière à Istanbul, et ce n'était que leur troisième jour ! Et encore, le premier ne comptait pas, puisqu'ils l'avaient consacré à se remettre de la fatigue du voyage.

Le chauffeur fut inflexible.

« Nous nous sommes arrêtés ici parce que nous étions obligés, mais l'objectif de départ était, et ça n'a pas changé, d'aller au Népal. Et nous devons nous dépêcher, parce que selon les journaux et la compagnie qui m'emploie, les troubles risquent de reprendre. De plus, n'oublions pas qu'à Katmandou, il y a des gens qui attendent l'autocar pour le voyage de retour. »

Sa décision était sans appel. Ceux qui n'étaient pas prêts à partir le lendemain à 11 heures du matin, ajouta-t-il, devraient attendre le prochain autocar, qui passerait à Istanbul quinze jours plus tard.

Karla, Ryan et Mirthe décidèrent donc de visiter le Grand Bazar aujourd'hui, et Jacques et Marie se joignirent à eux. Bien qu'aucun n'ose le formuler, tous remarquèrent que Karla n'était plus la même, qu'elle paraissait plus légère, plus lumineuse. Cette fille, toujours si sûre d'elle et de ses décisions, devait être amoureuse de ce Brésilien maigrichon qui portait le bouc.

Karla, quant à elle, songeait : « Les autres ont dû s'apercevoir que j'ai changé. Ils ignorent pourquoi, mais ils le voient. »

C'était si bon de pouvoir aimer ! À présent, elle savait pourquoi c'était si important pour la plupart des gens. Pour tout le monde, en fait. Elle prit conscience, le cœur serré, qu'elle avait dû causer pas mal de souffrance autour d'elle, mais que faire ? C'était ça, l'amour.

C'est lui qui nous permet de comprendre notre mission sur terre, notre but dans l'existence. Si on

admet ce principe, on sera protégé par une aura bien-
veillante et on trouvera le calme dans les moments
difficiles. On donnera sans rien exiger en retour,
hormis la présence à ses côtés de l'être aimé, qui est
le réceptacle de la lumière, la coupe de fertilité, la
torche qui éclaire le chemin.

S'il en était ainsi, songeait-elle, le monde serait de
plus en plus généreux avec ceux qui aiment, le mal
se changerait en bien, le mensonge en vérité et la
violence en paix.

Car l'amour décourage l'oppresseur par sa délica-
tesse et étanche la soif de celui qui cherche l'eau vive
de la tendresse ; il maintient les portes ouvertes pour
laisser pénétrer la lumière et la pluie.

Et c'est aussi grâce à lui, conclut Karla en pensée,
que le temps s'écoule tantôt lentement tantôt vite,
et pas comme autrefois, toujours au même rythme,
lancinant, d'une insupportable monotonie.

Oui, elle devenait une autre. Peu à peu, parce que
les changements prennent du temps. Mais elle
changeait.

*

Avant qu'ils sortent tous, Marie s'approcha de
Karla.

« Selon les Irlandais, tu as apporté du LSD, c'est
vrai ? »

En effet. Elle avait plongé une page du *Seigneur
des anneaux* dans une solution d'acide lysergique.
Une feuille de papier qui avait séché au vent des

Pays-Bas, et qui n'était de nouveau plus qu'un passage d'un chapitre du livre de Tolkien.

« J'aimerais vraiment en faire l'expérience aujourd'hui. Je suis fascinée par cette ville, j'ai besoin de la voir avec d'autres yeux. C'est bien ce qui se passe ?

— Oui. »

Oui, mais la première fois, ça pouvait être le ciel, ou au contraire l'enfer...

« Voilà mon plan, il est simple : quand on arrive au Bazar, je me "perds" et je prends l'acide loin des autres, sans déranger personne. »

Cette fille n'avait aucune idée de ce dont elle parlait, songea Karla. Prendre un premier trip toute seule, « sans déranger personne » ?

Au début, elle regretta amèrement d'avoir confié ce secret aux autres. Si Marie avait mentionné le livre, elle aurait pu lui répondre qu'elle avait mal compris, qu'il avait simplement été question des personnages du roman... Mais visiblement elle ignorait sous quelle forme se présentait le LSD. Pourquoi ne pas lui dire qu'elle ne tenait pas à initier qui que ce soit à une drogue quelconque, et encore moins un être aussi jeune, parce que ça créait un karma négatif ? Surtout à un moment où sa vie venait de changer à jamais, car dès qu'on aime quelqu'un, on se met à aimer tout le monde.

Elle observa cette fille un peu moins âgée qu'elle qui avait l'audace des véritables guerrières, des Amazones : elle semblait prête à se mesurer à l'inconnu, au danger, à la différence, bref, à ce qu'elle affrontait elle-même. C'était à la fois bon et effrayant, autant que de se découvrir vivante et d'être capable de vivre chaque minute sans penser qu'au bout du chemin on trouvera quelque chose qu'on appelle la mort.

« Viens, montons dans ma chambre. Mais avant, je veux que tu me fasses une promesse.

— Tout ce que tu voudras.

— Jure-moi que tu ne t'éloigneras pas de moi une seule seconde. Il y a plusieurs types de LSD, et celui-ci est le plus puissant. Autant l'expérience peut se révéler merveilleuse, autant elle peut être terrifiante. »

Marie éclata de rire. Karla n'avait aucune idée de qui elle était, de ce qu'elle avait déjà expérimenté dans sa vie…

« Promets-le.

— D'accord, je te le promets. »

Comme les autres s'apprêtaient à sortir, elle invoqua l'excuse si pratique des « problèmes féminins » en précisant qu'elles n'en avaient que pour dix minutes.

Une fois à l'étage, elle se sentit fière de faire découvrir sa chambre : Marie voyait bien les vêtements qui séchaient, la fenêtre ouverte pour aérer, et l'unique grand lit pourvu de deux oreillers, aux draps en bataille, comme si un ouragan était passé par là. C'était d'ailleurs le cas. Un cyclone qui avait balayé pas mal de choses anciennes et en avait apporté de nouvelles.

Elle ouvrit son sac, en sortit le livre et chercha la page 155. Puis, à l'aide des petits ciseaux dont elle ne se séparait jamais, elle découpa dans le papier une bande d'environ un demi-centimètre carré.

Elle le tendit à Marie en lui recommandant de bien le mâcher.

« C'est tout ?

— Pour être franche, je comptais ne t'en donner que la moitié, mais je n'étais pas sûre que ça te fasse de l'effet. Ça, c'est la dose normale, celle que je prenais moi. »

C'était un mensonge, le rectangle représentait une demi-dose ; suivant la réaction et la tolérance de Marie, il lui procurerait la même expérience qu'une dose entière, mais au bout d'un temps plus long.

« Tu as bien remarqué que j'avais dit : "que je *prenais*" ? Je n'y ai plus touché depuis plus d'un an et je ne sais pas si j'en reprendrai un jour. Il existe des moyens plus efficaces pour parvenir au même résultat, même si je n'ai pas la patience de les essayer.

— Quoi, par exemple ? »

Marie avait déjà mis le buvard sur sa langue, il était trop tard pour faire machine arrière.

« La méditation, le yoga, un amour passionné, ce genre de choses. Tout ce qui nous amène à voir le monde avec des yeux neufs.

— Combien de temps faut-il pour que ça fasse effet ?

— Je l'ignore, ça dépend des gens. »

Karla referma le livre et le rangea dans son sac. Elles descendirent retrouver les autres, et ils se mirent en route pour le Grand Bazar.

À la réception de l'hôtel, Mirthe avait pris un dépliant sur le Grand Bazar : ce lieu où affluaient les marchandises avait été créé en 1455 par un sultan qui avait réussi à reprendre Constantinople au Pape. Au temps où l'Empire ottoman dominait le monde, c'était le principal marché couvert, et il avait pris depuis une telle ampleur qu'on avait dû agrandir maintes fois les structures du toit.

Ces renseignements ne suffirent pourtant pas à les préparer à ce qui les attendait : des milliers de personnes déambulaient dans les allées entre des étalages bien achalandés, des fontaines, des restaurants, des lieux de prière, des cafés, bref, absolument tout ce qu'on aurait pu trouver dans le plus grand magasin de France : bijoux d'or finement ciselés, vêtements de toutes les formes et de toutes les couleurs, chaussures, tapis de toutes factures ; sauf qu'ici, des artisans travaillaient sur place, indifférents à la foule qui défilait.

L'un des marchands leur demanda s'ils s'intéressaient aux antiquités : leur statut de touristes ne faisait aucun doute, rien qu'à leur façon de regarder en tous sens.

« Combien y a-t-il de boutiques, ici ? s'enquit Jacques.

— Trois mille. Plus deux mosquées, de nombreuses fontaines, et des centaines d'endroits où vous pouvez goûter au meilleur de la cuisine turque. Mais j'ai quelques icônes religieuses que vous ne trouverez nulle part ailleurs. »

Jacques le remercia en disant qu'il repasserait ; le marchand, qui savait qu'il mentait, insista encore un instant, mais constata vite que c'était inutile et leur souhaita à tous une bonne journée.

« Vous saviez que Mark Twain était venu ici ? » demanda Mirthe.

Elle était couverte de sueur, et un peu effrayée par ce grouillement : et s'il y avait un incendie, par où sortiraient-ils, dans quelle direction se trouvait la porte minuscule par laquelle ils étaient entrés ? Et comment maintenir la cohésion du groupe si chacun voulait partir dans un sens différent ?

« Et qu'est-ce qu'il en a dit ?

— Que ce qu'il avait vu était impossible à décrire, mais que la découverte du Bazar avait été une expérience bien plus intense et plus importante que celle de la ville elle-même. Il parle de l'immense variété des couleurs, des tapis, des groupes de gens qui discutent, de ce chaos apparent où tout semble respecter un ordre inexplicable. "Pour acheter des chaussures, écrit-il, nul besoin de parcourir les allées en comparant les modèles et les prix, il suffit de trouver le quartier des fabricants : des enfilades d'étalages identiques, où il n'existe pas la moindre concurrence et où personne ne s'énerve. Tout dépend de la capacité du marchand à bonimenter." »

Elle se garda d'ajouter que le Bazar avait déjà subi quatre incendies et un tremblement de terre ; combien de victimes avaient fait ces catastrophes, mystère, car bien entendu le dépliant de l'hôtel ne le précisait pas.

Karla s'aperçut que la fille de Jacques, les yeux au plafond, admirait les poutres et les voûtes arrondies avec un sourire béat, visiblement incapable de prononcer d'autres mots que : « Quelle merveille ! Quelle merveille ! »

Ils progressaient à environ un kilomètre à l'heure. Lorsque l'un d'eux s'arrêtait, tout le monde l'attendait. Mais à présent, Karla avait besoin de s'isoler avec Marie.

« Si nous continuons comme ça, nous n'allons même pas atteindre le croisement qui mène au quartier suivant. Désolée de vous le rappeler, et je le regrette autant que vous, mais nous partons demain. Nous devons donc en profiter au maximum aujourd'hui. Pourquoi ne pas nous séparer et nous retrouver à l'hôtel ? »

Sa suggestion obtint l'approbation de tous. Jacques s'approcha de Marie dans l'intention de l'emmener, mais Karla l'en empêcha.

« Je n'aime pas rester seule. Laissez-nous partir toutes les deux à la découverte de ce monde extraordinaire. »

Voyant que Marie – qui répétait toujours « Quelle merveille ! » en fixant le plafond –, ne le regardait même pas, Jacques s'inquiéta un peu : aurait-elle par hasard rencontré quelqu'un qui lui avait proposé du haschisch ? De toute façon, elle était assez grande pour s'occuper d'elle-même. Il la laissa avec Karla, cette fille toujours à l'avant-garde, toujours prête à prouver qu'elle était plus intelligente et plus cultivée que les autres. Il lui semblait pourtant que, depuis leur arrivée à Istanbul, elle était devenue plus aimable, enfin, juste un peu.

Il poursuivit son chemin et se perdit dans la foule. Dès qu'il eut disparu, Karla saisit Marie par le bras.

« Sortons d'ici tout de suite.

— Quoi ? Oh, non, c'est tellement beau ! Tu as vu ces couleurs ? Quelle merveille ! »

Mais Karla ne suggérait pas, elle donnait un ordre. Elle se mit à l'entraîner gentiment vers la sortie.

La sortie ? Mais où était-elle ?

Marie était de plus en plus extatique, et complètement passive. Karla tenta de demander à plusieurs personnes la direction de la sortie la plus proche, mais elle obtenait chaque fois des indications différentes. Elle commença à se sentir nerveuse : leur vaine tentative de sortir de ce labyrinthe était en soi un trip aussi puissant que celui du LSD, et si les deux effets se combinaient, qui sait dans quel état finirait Marie ?

Elle retrouva son attitude agressive et dominatrice. Elle se mit à aller d'un côté, de l'autre, sans parvenir à retrouver la porte par laquelle ils étaient entrés.

Non que ce soit important de ressortir par la même, mais chaque seconde était précieuse, l'air était lourd, les gens transpiraient, et personne ne faisait attention à rien d'autre que ce qu'il achetait, vendait ou marchandait.

Enfin elle eut une idée : au lieu de continuer à chercher en tous sens, elle devait s'en tenir à une direction et marcher droit devant elle. Tôt ou tard, elle finirait par tomber sur le mur d'enceinte du plus grand temple de la consommation qu'elle ait jamais vu. Elle traça mentalement une ligne droite en priant Dieu (Dieu ?) que ce soit la plus courte et se mit en route. Sur le trajet, elle fut arrêtée des dizaines de fois par des marchands qui faisaient l'article pour leurs produits, mais elle les écartait sans ménagement, sans considérer qu'ils pourraient se fâcher.

Enfin, elle repéra dans la foule un adolescent dont la moustache commençait à pousser : il venait certainement d'entrer, parce qu'il avait l'air de chercher quelque chose. Usant de son charme, de sa séduction et de sa force de conviction, elle le pria de les raccompagner jusqu'à la sortie en prétextant que sa sœur avait une crise de délire.

Le garçon observa un instant ladite sœur et dut voir qu'elle était vraiment ailleurs, et très loin. Il tenta d'engager la conversation, d'expliquer qu'il avait un oncle ici qui pourrait les aider, mais elle le supplia, prétendit qu'elle connaissait les symptômes et que sa sœur avait surtout besoin d'air.

Un peu à contrecœur, sachant qu'il allait perdre de vue pour toujours ces deux jolies filles, il les accompagna jusqu'à une porte, qui finalement se trouvait à moins de vingt mètres de l'endroit où elles se trouvaient.

*

Au moment où elle mit le pied à l'extérieur du Bazar, Marie se jura d'abandonner solennellement tous ses rêves de révolution. Elle n'affirmerait jamais plus qu'elle était communiste et qu'elle luttait pour libérer les travailleurs opprimés par les patrons.

Oui, elle avait adopté la mode vestimentaire hippie parce que c'était parfois agréable d'être à la mode. Oui, elle avait compris que son père s'en inquiétait et qu'il s'était mis à chercher fébrilement un sens à cette lubie. Oui, ils allaient au Népal, mais pas pour méditer dans des grottes ou fréquenter des temples ; son objectif était d'entrer en contact avec les maoïstes qui préparaient une insurrection contre ce qu'ils jugeaient être une monarchie dépassée, gouvernée par un roi tyrannique indifférent aux souffrances de son peuple.

À l'université, elle avait pris contact avec un Népalais, un exilé volontaire venu en France dans le but d'attirer l'attention sur les quelques dizaines de guérilléros qui se faisaient massacrer dans son pays.

Désormais, tout ça n'avait plus d'importance. Elle marchait avec Karla dans une rue banale, sans aucun attrait, et tout lui semblait avoir une signification plus grande, dépassait les murs décrépits et les passants qui allaient tête basse, sans regarder autour d'eux.

« Tu crois qu'ils remarquent quelque chose ?

— Rien du tout, à part ton sourire lumineux. L'acide n'est pas une drogue qui attire l'attention. »

Pour sa part, Marie avait bien senti que sa compagne était nerveuse. Non à ce qu'elle disait, ni même au ton de sa voix, mais à la « vibration » qui émanait d'elle. Un mot qu'elle avait toujours détesté car elle ne croyait pas à ce genre de phénomènes, mais maintenant, elle était forcée de constater que cela existait.

« Pourquoi sommes-nous sorties de ce temple ? »

Karla lui jeta un étrange regard.

« Je sais bien que ce n'était pas un temple, c'est juste une image. Je connais mon nom, le tien, celui de la ville dans laquelle nous sommes et je sais où nous allons, mais tout paraît différent, comme si... »

Elle chercha ses mots un instant.

« Comme si j'avais franchi une porte et tout laissé derrière moi, y compris les angoisses, les dépressions et les doutes. La vie me paraît à la fois plus simple et plus riche, plus joyeuse. Je me sens libre. »

Karla se détendit un peu.

« Je vois des couleurs que je n'avais jamais vues, le ciel paraît vivant, les nuages dessinent des signes qui me sont *encore* incompréhensibles, mais je suis certaine que ce sont des messages qui me sont destinés, pour me guider à l'avenir. Je suis en paix avec moi-même et je n'observe plus le monde de l'extérieur, parce que je *suis* le monde. Je possède la sagesse de tous ceux qui ont vécu avant moi et l'ont laissée dans mes gênes. Je *suis* mes rêves. »

Elles passèrent devant un café semblable aux centaines d'autres cafés qui se trouvaient dans le quartier. Comme Marie s'était remise à murmurer « Quelle merveille ! », Karla lui demanda de se taire : elles allaient entrer dans un endroit relativement interdit, un café que seuls les hommes fréquentaient.

« Je suppose qu'ils verront au premier coup d'œil que nous sommes des touristes. J'espère qu'ils ne réagiront pas mal et qu'ils ne nous mettront pas dehors. Mais s'il te plaît, tiens-toi correctement. »

Elle avait bien deviné, car personne ne protesta quand elles entrèrent et choisirent une table dans un coin. Les hommes leur jetèrent des regards surpris, le temps de s'apercevoir que ces deux filles ne connaissaient pas les coutumes de leur pays, puis les conversations reprirent. Karla commanda un thé à la menthe bien sucré. Le sucre était réputé pour atténuer la force des hallucinations...

Car Marie était totalement hallucinée : elle parlait d'auras lumineuses autour des gens, affirmait qu'elle était capable de remonter dans le temps, que quelques minutes plus tôt elle avait conversé avec l'âme d'un chrétien mort au combat ici même, à l'endroit où se trouvait ce café. Cet homme, qui avait trouvé la paix absolue au paradis, avait été heureux d'entrer de nouveau en contact avec un habitant de la Terre. Il comptait la prier de porter un message à sa mère, mais quand il avait compris que plusieurs siècles s'étaient écoulés depuis sa mort – c'était elle qui le lui avait dit –, il avait renoncé, l'avait remerciée, et s'était aussitôt évanoui dans l'espace.

Elle but son thé comme si elle découvrait ce breuvage. Elle commença à manifester par des soupirs et des gestes le plaisir qu'elle éprouvait à le boire, mais Karla lui redemanda de bien se tenir, et de nouveau Marie sentit la « vibration » qui entourait sa compagne, dont l'aura présentait plusieurs trous. Un signe négatif ? Non, ils semblaient correspondre à d'anciennes blessures qui se cicatrisaient rapidement. Elle voulut la rassurer, elle pouvait le faire, engager n'importe quelle conversation sans cesser d'être en transe.

« Tu crois que tu es amoureuse du Brésilien ? »

Karla ne répondit pas. L'un des trous parut diminuer un peu, et Marie changea de sujet.

« Qui a inventé ce produit ? Et pourquoi on ne le distribue pas gratuitement à tous ceux qui cherchent à s'unir à l'invisible, alors que c'est tellement nécessaire pour changer notre perception du monde ? »

Karla expliqua que le LSD avait été découvert par hasard, dans le pays le plus improbable : la Suisse.

« La Suisse ? Ce pays qu'on connaît pour ses banques, ses montres, ses vaches et son chocolat ?

— Et ses laboratoires, ajouta Karla. À l'origine, ils cherchaient un remède pour une maladie précise, je ne me souviens pas laquelle. Jusqu'à ce que le découvreur, ou disons l'inventeur, décide des années plus tard de goûter ce produit qui rapportait déjà des millions aux compagnies pharmaceutiques du monde entier. Il en a avalé une quantité minuscule juste avant de rentrer chez lui à bicyclette – ça se passait en pleine guerre et même dans ce pays neutre l'essence était rationnée – et s'est aperçu qu'il voyait tout différemment. »

L'enthousiasme de Marie commençait à retomber, il fallait lui occuper l'esprit.

« Tu vas me demander comment je connais cette histoire, en fait j'ai lu récemment un grand article dessus dans une revue, à la bibliothèque. Donc, ce chercheur a non seulement compris que sa vision des choses avait changé, mais aussi qu'il était incapable de monter à bicyclette. Il a prié son assistante de le raccompagner chez lui, puis il s'est dit qu'il valait peut-être mieux aller droit à l'hôpital parce qu'il craignait de faire un infarctus. Mais soudain, et ce sont ses propres paroles, enfin à peu près parce que je ne me souviens plus exactement :

» *"Je me suis mis à voir des couleurs et des formes insolites qui subsistaient derrière mes yeux fermés. J'avais l'impression de regarder un immense kaléidoscope qui s'ouvrait et se refermait en cercles et en spirales, jaillissant en fontaines de couleurs qui se mêlaient en un flot constant, comme un fleuve de joie."*

» Tu m'écoutes, Marie ?

— Plus ou moins. Je me demande si j'arrive à suivre, je reçois beaucoup d'informations, la Suisse, à bicyclette, la guerre, un kaléidoscope... Tu ne pourrais pas simplifier ? »

C'était bien ce qu'elle craignait... Sa sirène d'alarme intérieure retentit. Elle commanda un autre thé.

« Fais un effort, Marie. Regarde-moi et écoute ce que je te raconte. Concentre-toi. Cette sensation de malaise va passer. Il faut que je t'avoue une chose, je ne t'ai donné que la moitié de la dose habituelle. »

Ces mots parurent soulager Marie. Dès que le serveur eut apporté le thé, Karla l'obligea à le boire, puis elle alla payer et elles ressortirent à l'air frais.

« Et le Suisse, alors ? »

Très bien, se dit Karla, elle n'avait pas perdu le fil de leur conversation. C'était bon signe. Peut-être pourrait-elle lui acheter un calmant puissant, au cas où son état s'aggraverait et où les portes de l'enfer ne remplaceraint celles du ciel...

« L'acide lysergique a été en vente libre pendant plus de quinze ans dans les pharmacies des États-Unis, et tu sais pourtant combien ils sont rigoureux avec les drogues. Ce produit a même fait la couverture du magazine *Time*, grâce à ses bienfaits dans les traitements psychiatriques et dans celui de l'alcoolisme. S'il a finalement été interdit, c'est parce que de temps en temps, il provoquait des effets inattendus.

— Par exemple ?

— Nous en parlerons plus tard. Maintenant, efforce-toi de fermer la porte de l'enfer qui se trouve devant toi, et ouvre celle du ciel. Profites-en, n'aie pas peur, je suis avec toi et je sais de quoi je parle. Cet état devrait durer au maximum deux heures.

— Je vais fermer la porte de l'enfer et ouvrir celle du ciel, répéta Marie. Mais je sais que si je peux maîtriser ma peur, toi tu ne parviens pas à maîtriser la tienne. Je vois ton aura, je lis dans tes pensées.

— Tu as raison. Dans ce cas, tu dois y lire aussi que tu ne cours pas le moindre danger, sauf s'il te prenait l'envie de grimper sur le toit d'un immeuble et de te jeter dans le vide pour vérifier que tu peux voler.

— Je comprends. En fait, je pense que l'effet commence à s'atténuer. »

Convaincue qu'elle n'en mourrait pas, qu'elle ne se jetterait jamais du toit d'un immeuble, Marie sentit les battements de son cœur s'apaiser et décida de profiter au maximum de ces fameuses deux heures.

Tous ses sens, le toucher, la vue, l'ouïe, l'odorat, le goût, s'unirent en un seul, comme si elle pouvait tout ressentir à la fois. Bien que la lumière du dehors commence à perdre de son intensité, elle voyait toujours les auras des gens et savait qui souffrait, qui était heureux, qui allait mourir bientôt.

Tout était nouveau. Pas seulement parce qu'elle était à Istanbul : elle était dans la peau d'une Marie différente, beaucoup plus ancienne et substantielle que celle qu'elle connaissait.

Le ciel était de plus en plus chargé, les nuages noirs annonçaient peut-être un orage et leurs formes se défaisaient, perdant peu à peu leur sens qui auparavant semblait si clair. Mais elle était certaine que les nuages ont leur propre code pour parler aux humains et que si elle observait avec attention le ciel dans les prochains jours, elle finirait par comprendre leur message.

Devrait-elle expliquer à son père pourquoi elle avait choisi d'aller au Népal ? Malgré tout, ce serait idiot de ne pas continuer leur voyage, maintenant qu'ils s'étaient rendus si loin. De toute façon, ils allaient découvrir des choses que plus tard, avec l'âge, ils n'auraient plus la possibilité de voir.

Pourquoi se connaissait-elle si peu ? Elle se souvenait de certaines expériences qui lui avaient paru désagréables dans son enfance et qui l'étaient moins maintenant, qui ne lui semblaient plus être que de simples expériences. Pourquoi leur avait-elle accordé tant d'importance jusque-là ?

De toute façon, à quoi bon trouver les réponses à ces questions ? Elle sentait que les choses se résoudraient d'elles-mêmes. De temps à autre, en regardant ce qu'elle se figurait être des esprits qui l'entouraient, elle voyait passer devant elle la porte de l'enfer, mais elle était décidée à ne jamais la rouvrir.

En ce moment, elle profitait d'un monde sans questions et sans réponses, sans doutes ni certitudes, auquel elle appartenait totalement. Un monde intemporel, où le passé et le futur se réduisaient au présent. Son esprit était tour à tour celui d'un être très ancien ou celui d'un enfant émerveillé par la nouveauté, qui observe les doigts de sa main en remarquant qu'ils bougent séparément. Elle se réjouissait de voir Karla plus sereine : son aura avait retrouvé toute sa lumière, elle était vraiment amoureuse. La question qu'elle lui avait posée tout à l'heure était idiote : on sait toujours quand on est amoureux.

Près de deux heures plus tard, lorsqu'elles furent enfin à l'entrée de l'hôtel, elle comprit que Karla avait préféré la faire marcher à travers la ville jusqu'à ce que l'effet de la drogue se soit dissipé avant de retrouver les autres. En entendant le premier coup de tonnerre, elle sut que c'était Dieu qui lui demandait de revenir au monde, parce qu'ils avaient encore pas mal de travail à faire ensemble. Elle comprit qu'elle devrait aider davantage son père, qui rêvait de devenir écrivain mais n'avait jamais écrit un seul mot sinon pour des présentations, des études ou des articles.

Il fallait qu'elle l'aide comme il l'avait aidée, c'était d'ailleurs ce qu'il lui avait demandé. Il avait encore de longues années devant lui et un beau jour elle se marierait... Jusque-là, elle n'y avait jamais songé, elle considérait cette échéance comme la fin de son existence sans contraintes ni limites.

Un jour, donc, elle se marierait, et il faudrait qu'à ce moment-là son père soit satisfait de sa propre vie, qu'il ait enfin réalisé son rêve. Et même si elle aimait beaucoup sa mère, à qui elle n'en voulait pas d'avoir divorcé, elle souhaitait sincèrement que son père rencontre quelqu'un avec qui partager ses pas sur cette terre sacrée.

Elle comprenait à présent pourquoi l'acide lysergique était interdit : si n'importe qui y avait accès, le monde cesserait de fonctionner. Les gens n'entreraient plus en contact qu'avec eux-mêmes, ils seraient semblables à des milliers de moines méditant en même temps dans leur grotte intérieure, indifférents à la bonne comme à la mauvaise fortune des autres. Les voitures ne rouleraient plus, les avions ne décolleraient plus, il n'y aurait plus de semailles ni de récoltes, tout ne serait qu'illumination et extase… Et en peu de temps l'humanité serait balayée de la surface de la terre par ce qui aurait dû être un vent purificateur, mais deviendrait finalement une tempête qui anéantirait tout.

Elle était au monde, elle lui appartenait, elle devait obéir à l'ordre que Dieu lui avait donné de sa voix de tonnerre : travailler dans le monde, aider son père, lutter contre ce qui lui paraissait mal, s'engager dans les luttes du quotidien comme les autres.

Voilà quelle était sa mission, et elle l'accomplirait jusqu'au bout. Elle venait de vivre son premier et dernier trip de LSD et elle était heureuse qu'il se soit terminé.

Ce soir-là, tout le groupe se réunit et décida de fêter cette dernière soirée à Istanbul par un dîner dans un restaurant qui servait de l'alcool, où ils pourraient s'enivrer ensemble tout en se régalant et en partageant leurs expériences de la journée. Michael et Rahul, après avoir protesté que le règlement de la compagnie le leur interdisait, avaient accepté de les accompagner sans trop de résistance.

« D'accord, mais ne me demandez pas de rester un jour de plus. Si jamais je cédais, je perdrais mon boulot. »

Ils ne demanderaient rien. Ils avaient encore un bon morceau de Turquie à visiter, notamment l'Anatolie dont on disait que les paysages étaient magnifiques. En fait, les changements constants de décor leur manquaient...

Paulo venait de rentrer de sa mystérieuse destination, il s'était habillé, il savait qu'ils partaient le lendemain. Il s'excusa et expliqua qu'il aimerait dîner en tête à tête avec Karla.

Tous les autres comprirent et se réjouirent discrètement de cette « amitié ».

Deux femmes, dans le groupe, avaient les yeux brillants : Marie et Karla. Personne ne leur demanda d'explications et elles n'en donnèrent pas non plus.

« Comment s'est passée ta journée ? »

Paulo et Karla avaient eux aussi choisi un restaurant qui servait de l'alcool, et ils venaient de terminer leur premier verre de vin.

Il suggéra de passer commande avant de répondre à sa question, et elle approuva. Maintenant qu'elle était une vraie femme, capable d'aimer de toutes ses forces sans l'aide d'aucune drogue, le vin n'était plus à ses yeux qu'un symbole de fête.

Elle savait ce qui l'attendait, ce qu'il allait lui dire. Elle en avait eu l'intuition la veille au restaurant, sur l'autre rive, où quand elle lui avait enfin avoué qu'elle l'aimait, ses yeux n'avaient pas brillé comme elle s'y attendait. Et cela lui avait été confirmé plus tard, quand ils avaient si merveilleusement fait l'amour. Sur le moment, elle avait failli pleurer, puis elle avait accepté son destin, comme si tout avait été écrit. Elle n'avait jamais désiré autre chose dans la vie qu'un cœur brûlant d'amour, et l'homme qui était en elle à cet instant-là lui avait fait ce cadeau.

Elle était loin d'être naïve, mais elle estimait avoir obtenu ce qu'elle désirait par-dessus tout de la vie. Elle ne se sentait pas perdue dans le désert : elle coulait comme les eaux du Bosphore, vers une immense mer dans laquelle tous les fleuves se rencontraient. Elle n'oublierait jamais Istanbul, le Brésilien et ses conversations qu'elle ne parvenait pas toujours à suivre. Il avait réalisé un miracle, mais il n'avait pas besoin de le savoir. Inutile de le culpabiliser, cela risquerait de le faire changer d'avis.

Il fit signe au serveur de leur apporter une seconde bouteille avant de se mettre à parler.

« L'homme sans nom était dans la salle quand je suis arrivé. Je l'ai salué, mais il ne m'a pas répondu. Il gardait les yeux fixés sur un point, comme s'il était en transe. Je me suis agenouillé, j'ai cherché à faire le vide dans mon esprit pour entrer en contact avec les âmes qui ont dansé, chanté et célébré la vie en ce lieu. Comme je savais qu'à un moment ou à un autre, il sortirait de cet état, j'ai attendu. En réalité, pas au sens littéral du terme, disons plutôt que je me suis livré au moment présent sans rien attendre du tout.

» Les haut-parleurs ont appelé à la prière, l'homme est sorti de sa transe pour accomplir l'un des cinq rituels de la journée. Ce n'est qu'ensuite qu'il a remarqué ma présence et m'a demandé pourquoi j'étais revenu. Je lui ai expliqué que j'avais passé la nuit à réfléchir à notre rencontre et que j'aimerais me vouer corps et âme au soufisme.

» J'avais très envie de lui raconter que j'avais vraiment fait l'amour pour la première fois de ma vie, parce que hier soir avec toi, quand j'étais en toi, j'ai réellement eu la sensation de sortir de moi-même. Je n'avais jamais rien vécu de tel. Mais j'ai jugé que ce n'était pas opportun et j'ai attendu sa réponse : "Lisez les poètes, ça suffit."

» Pour moi ça ne suffisait pas, j'ai besoin de discipline, de rigueur, d'un lieu où je puisse servir Dieu pour être plus près du monde. Avant ma première visite dans ce centre de soufisme, j'étais fasciné par les derviches tourneurs qui entraient en transe, pour ainsi dire, en dansant. Maintenant, j'avais besoin que mon âme danse avec moi.

» Je devais attendre mille et un jours pour ça ? Parfait, j'attendrais. Jusque-là j'avais assez vécu, peut-être le double de ce qu'avaient vécu mes camarades de lycée. Je pouvais y consacrer trois ans de ma vie, si au bout de ce temps on me permettait de tenter d'atteindre l'état de transe des derviches tourneurs.

» "Mon ami, un soufi est toujours dans le moment présent. *Demain* ne fait pas partie de notre vocabulaire."

» Oui, je le savais. Ce que je me demandais, c'était si je serais forcé de me convertir à l'islam pour avancer dans mon apprentissage.

» "Non. Il vous suffit de faire une unique promesse, celle de vous soumettre à la voie de Dieu. De voir Sa face chaque fois que vous buvez un verre d'eau. D'entendre Sa voix chaque fois qu'un mendiant passe dans la rue. C'est ce que prêchent toutes les religions et c'est le seul serment que vous devez faire.

» — Je n'ai pas encore acquis la discipline suffi-sante, ai-je répondu, mais avec votre aide je pourrai atteindre l'endroit où le ciel rencontre la terre, c'est-à-dire le cœur de l'homme."

» Il m'a alors déclaré qu'il était prêt à m'y aider, à condition que je laisse ma vie entière derrière moi et que j'exécute tous les ordres qu'il me donnerait : je devrais apprendre à demander l'aumône quand je n'aurais plus d'argent, à jeûner quand ce serait le moment, à servir les lépreux, à laver les plaies des blessés. À passer des journées à ne rien faire d'autre que regarder un point fixe en récitant sans cesse la même prière, la même phrase, le même mot.

» "Vendez votre sagesse et achetez un espace de votre âme pour le combler d'absolu. Parce que ce que les humains appellent sagesse, c'est de la folie aux yeux de Dieu."

» Là, je me suis demandé si j'en étais capable ; peut-être était-il en train de me tester pour voir si je lui obéirais aveuglément ? Mais je n'ai pas perçu d'hésitation dans sa voix, et j'ai eu la certitude qu'il était sérieux. Et même si j'étais à l'intérieur de cette salle peinte en vert à moitié en ruine, aux vitres cassées, encore plus sombre ce jour-là que d'habi-tude, j'ai su qu'une tempête se préparait.

» Car si mon corps était entré, mon âme était restée dehors, curieuse de voir ce qu'il adviendrait de cette histoire. Elle attendait que, par une simple coïncidence, j'entre un beau jour dans la salle pour y trouver des hommes qui pivotaient sur eux-mêmes sans y voir autre chose qu'un ballet bien structuré. Je savais que ce n'était pas ce que je cherchais.

» Mais je savais également que si je n'acceptais pas les conditions qu'il m'imposait, la prochaine fois, même s'il continuerait de me laisser entrer et sortir à ma guise comme lors de ma première visite, la porte me serait fermée.

» Ce vieillard lisait dans mon âme, il percevait mes contradictions et mes doutes, et il ne s'était jamais montré si inflexible : c'était tout ou rien. Il a annoncé qu'il devait reprendre sa méditation et je l'ai prié de répondre au moins à trois questions :

» "M'acceptez-vous comme disciple ?

» — Je ne peux qu'accepter ton cœur comme disciple, parce que si je refusais, ma vie n'aurait plus aucune utilité. J'ai deux façons de prouver mon amour pour Dieu : la première, c'est de L'adorer jour et nuit, dans la solitude de cette salle, mais ça ne Lui sert à rien, et à moi non plus. La seconde, c'est de chanter, de danser et de montrer Sa face à tous à travers ma joie.

» — M'acceptez-vous comme disciple ? ai-je demandé pour la seconde fois.

» — De même qu'un oiseau ne peut voler d'une seule aile, un maître soufi n'est rien s'il ne peut transmettre son expérience à personne.

» — M'acceptez-vous comme disciple ? ai-je demandé pour la troisième et dernière fois.

» — Si demain vous passez cette porte comme ces deux derniers jours, je vous accepte comme disciple. Mais je suis sûr que vous vous en repentirez." »

*

Karla remplit leurs verres, lui en tendit un et leva le sien.

« Mon voyage se termine ici, précisa-t-il comme s'il craignait qu'elle n'ait pas compris ce qu'impliquait son récit. Je n'ai rien à faire au Népal. »

Il s'apprêta à affronter pleurs, colère, désespoir, chantage émotionnel, toutes les réactions possibles de la femme qui lui avait dit « je t'aime » la veille.

À sa grande surprise, elle se contenta de sourire.

*

Ils vidèrent leur verre et Karla les remplit à nouveau. Ensuite seulement, elle plongea les yeux dans les siens.

« Je n'aurais jamais cru pouvoir aimer quelqu'un autant que je t'aime, Paulo. Mon cœur était fermé, mais ce n'était pas pour des raisons psychologiques ni par manque d'une substance chimique quelconque. Et tout à coup, il s'est ouvert, je ne saurais dire quand exactement, je ne pourrai jamais élucider ce mystère… Et je t'aimerai jusqu'à la fin de mes jours. Quand je serai au Népal, je t'aimerai. Quand je rentrerai à Amsterdam, je t'aimerai. Et quand enfin je tomberai amoureuse d'un autre, je continuerai de t'aimer, bien que d'un amour différent d'aujourd'hui.

» Dieu – j'ignore s'il existe, mais j'espère qu'il est ici à nos côtés et qu'il entend mes paroles – veut que je ne m'estime plus jamais satisfaite de ma propre compagnie. Que je ne redoute plus d'avoir besoin de quelqu'un, ni de souffrir, parce qu'il n'est de pire souffrance que de sentir son cœur comme une salle grise et obscure où la douleur ne peut entrer.

» Et que cet amour dont on parle tant, que tant partagent et dont tant souffrent, me conduise à cette part de moi qui m'était inconnue et qui vient de m'être révélée. Comme l'a dit un poète un jour, qu'il m'emmène dans le pays où on ne connaît ni soleil, ni lune, ni étoiles, ni terre, ni goût du vin dans la bouche, mais seulement l'Autre, celui que je rencontrerai parce que tu as ouvert la voie.

» Et où je puisse cheminer sans me servir de mes pieds, voir sans le secours de mes yeux, voler sans demander qu'il me pousse des ailes. »

*

Paulo était aussi heureux que surpris. Tous deux entraient dans une contrée inconnue pleine de terreurs et de merveilles. Ici à Istanbul, où au lieu de visiter tous les sites qu'on leur avait suggérés, ils avaient choisi de visiter leur âme. Et il n'y avait rien de meilleur, de plus réconfortant au monde.

Il se leva, fit le tour de la table et l'embrassa, conscient qu'il allait à l'encontre des mœurs locales et que les autres clients pouvaient se sentir offensés ; mais il l'embrassa quand même, avec amour mais sans sensualité, avec envie et sans culpabilité, sachant que c'était leur dernier baiser.

*

Bien qu'il ne veuille pas gâcher la magie de l'instant, il fallait qu'il pose la question qui lui brûlait les lèvres.

« Tu t'y attendais ? Tu t'y étais préparée ? »

Elle se borna à sourire sans répondre. Il ne connaîtrait jamais la réponse, et c'était ça, le véritable amour : une question sans réponse.

Paulo mit un point d'honneur à l'accompagner à la porte de l'autocar. Il avait averti le chauffeur qu'il resterait ici pour apprendre ce qu'il avait besoin d'apprendre. Un bref instant, il eut envie de citer la célèbre dernière phrase de *Casablanca* : « Nous aurons toujours Paris. » Mais c'était une ânerie, et il devait se hâter de retourner vers la salle verte et son maître sans nom.

Les passagers feignirent de ne rien voir, et personne ne lui dit adieu ; personne, sauf Michael, ne savait qu'il était parvenu au terme de son voyage.

Karla l'embrassa sans un mot, mais il percevait son amour comme une chose quasi physique, une lumière qui prenait de plus en plus d'intensité, comme un soleil matinal qui éclaire d'abord les montagnes, puis les villes, les plaines, et enfin la mer.

La porte se ferma et l'autocar démarra. Il entendit encore des voix à l'intérieur qui criaient : « Hé ! Le Brésilien n'est pas monté ! » Mais le véhicule était déjà parti.

Un jour, il retrouverait Karla et il saurait comment s'était passée la fin du voyage.

Épilogue

En février 2005, alors qu'il était déjà un écrivain connu dans le monde entier, Paulo alla donner une grande conférence à Amsterdam. Le matin, des journalistes de l'une des principales émissions de la télévision l'interviewèrent dans l'ancien dortoir, à présent transformé en hôtel non-fumeurs de luxe et en un restaurant de dimensions modestes, mais bien coté.

Il n'avait plus jamais eu de nouvelles de Karla. Le guide *L'Europe à cinq dollars par jour* était devenu *L'Europe à trente dollars par jour*. Le Paradiso était fermé (il rouvrirait quelques années plus tard, toujours en tant que salle de concert). Le Dam était désert, ce n'était qu'une place au centre de laquelle se dressait cet obélisque mystérieux dont il n'avait jamais su – et dont il aimerait continuer à ne pas savoir – ce qu'il faisait là.

Il fut tenté de parcourir les rues qu'il avait empruntées autrefois pour se rendre au restaurant où l'on mangeait gratuitement, mais étant en compagnie de l'organisateur de la conférence, il se dit qu'il valait mieux rentrer à son hôtel pour préparer son discours du soir.

Il caressait le léger espoir que Karla, le sachant en ville, vienne assister à sa conférence pour le retrouver. Il supposait qu'elle n'était pas restée longtemps au Népal, de la même façon qu'il avait abandonné l'idée de devenir soufi, bien qu'il ait tenu près d'un an et appris des choses qui allaient l'accompagner jusqu'à la fin de sa vie.

Durant la conférence, il raconta une partie de l'histoire narrée dans ce livre. Et à un certain moment, il ne put s'empêcher de demander :

« Karla, tu es là ? »

Personne ne leva la main. Il se pouvait qu'elle n'ait même pas entendu parler de son séjour ici, ou si elle était là, qu'elle préfère ne pas se replonger dans le passé…

C'était mieux ainsi.

Genève,
le 3 février 2018

Tous les personnages de ce livre sont réels mais, à l'exception de deux d'entre eux, leurs noms ont été changés pour qu'il ne soit pas possible de les reconnaître (je ne connaissais que leurs prénoms).

J'ai relaté l'épisode de mon incarcération à Ponta Grossa (1968) en rajoutant des détails des deux autres séjours en prison que m'a valus la dictature militaire (en mai 1974, quand je composais des paroles de chansons).

Je remercie mon éditeur, Matinas Suzuki Jr, mon agente et amie, Monica Antunes, et ma femme, l'artiste plastique Christina Oiticica, qui a dessiné le trajet complet du Magic Bus. Quand j'écris un livre, je reste enfermé sans pratiquement adresser la parole à personne et je n'aime pas parler de mon travail en cours ; Christina feint de l'ignorer, et je feins de croire qu'elle l'ignore.

Cet ouvrage a été mis en pages par

\<pixellence\>

CET OUVRAGE
A ÉTÉ ACHEVÉ D'IMPRIMER
SUR ROTO-PAGE
PAR L'IMPRIMERIE FLOCH
À MAYENNE EN MAI 2018

N° d'édition : L.01ELHN000438.N001. N° d'impression : 92689
Dépôt légal : juin 2018
Imprimé en France